El delantero centro
fue asesinado al atardecer

Manuel Vázquez Montalbán
SERIE CARVALHO
14

El delantero centro fue asesinado al atardecer

Planeta

SERIE CARVALHO
Dirección: Rafael Borràs Betriu
Consejo de Redacción: María Teresa Arbó, Marcel Plans y Carlos Pujol

© Manuel Vázquez Montalbán, 1989
© Editorial Planeta, S. A., 1989
  Córcega, 273-277, 08008 Barcelona (España)
Diseño colección y cubierta de Hans Romberg (foto Jean Marc Barey/Agence
  Vandystadt-Zardoya y realización de Francesc Sala)
Primera edición: octubre de 1988
Segunda edición: diciembre de 1988
Tercera edición: enero de 1989
Cuarta edición: abril de 1989
Quinta edición: setiembre de 1989
Depósito Legal: B. 34.153-1989
ISBN 84-320-6924-8
Printed in Spain - Impreso en España
Talleres Gráficos «Duplex, S. A.», Ciudad de Asunción, 26-D, 08030 Barcelona

El mito heroico universal, por ejemplo, siempre se refiere a un hombre poderoso o dios —hombre que vence al mal, encarnado en dragones, serpientes, monstruos, demonios y demás y que libera a su pueblo de la destrucción y de la muerte—. La narración o repetición ritual de textos sagrados y ceremonias y la adoración al personaje con danzas, músicas, himnos, oraciones y sacrificios, sobrecoge a los asistentes con numínicas emociones (como si fuera con encantamientos mágicos) y exalta al individuo hacia una identificación con el héroe.

C. G. JUNG,
El hombre y sus símbolos

La habitación aún huele a medicina o a cualquier otra cosa rara, refunfuñó mentalmente, mientras las narices se convertían en una trompa móvil que trataba de captar el alma profunda de aquel olor. No me gusta que mi casa huela así. Una casa decente no huele así. Había rehecho la cama y hojeado los periódicos deportivos repartidos por toda la habitación. De los bolsillos de los trajes del oloroso huésped no sacó ninguna información, ni de su ropa interior cuidadosamente distribuida por los cajones de la cómoda. Las idas y venidas del rótulo luminoso de su propia pensión pautaban la tormenta en claroscuro que reflejaba el rostro de doña Concha. La luz la sorprendía irritadamente perpleja, la sombra la sumía en un reconcentrado recelo. Igual se pincha. Más mierda, no. Bastante mierda hay ya en este barrio y en esta casa. Pero no parecía un tarado de esos de la aguja, sino más bien un hombre sano y bien plantado que hablaba con un hilo de voz y siempre iba muy limpio. Desde la habitación de al lado había oído con inquietud las repetidas duchas y la insistencia del agua sobre un cuerpo, como si aquel inquilino pretendiera desmadrarle el presupuesto del agua. Si todos los inquilinos fueran tan limpios como él, podía cerrar la pensión, aunque sólo fuera por la factura del agua. Salió al balcón para deshojar los geranios, acariciar la hiedra que colgaba de una maceta y recrearse en la contemplación del rótulo que había hecho poner hacía tres meses y que la ratificaba como propietaria del negocio por el que había luchado toda su vida. Ponme una pensión, Pablito. Ponme una pensión, que no siempre te va a gustar tanto mi pechuga, y cuando no te guste, si te he visto no me acuerdo, y yo a hacer chapas en plan de tirada y vieja. Y a Pablito le daba risa la prevención de vejez, cada vez menos, cada vez menos, hasta que le vino aquel asma y le largó la pasta casi *in articulo mortis*. Se persignó y rezó un trocito del padrenuestro en homenaje al amante más considerado que había tenido. ¡Qué falta me haces, Pablito! ¡Qué falta me haces! Pero no le hacía falta. Si era sincera consigo misma, Pablito no le hacía ni puñetera falta y bastante había hecho con aguantar su peso de elefante durante casi veinte años, aunque al imaginarlo muerto y solo en el ataúd le venía la pena y un racimo de lágrimas. Desde el balcón contempló el paisaje ensuciado por el crepúsculo y las sombras definitivas de los edificios arruinados. Tres bares de putas, una lechería arqueológica, dos pensiones, cuatro escaleras melladas en las que sobrevivían sudacas y moros senegaleses y viejos, y el resto, casas que se caían de vejez, abandono y olvido. A ella le hubiera gustado poner la pensión en el Ensanche, pero Pablito tenía también que cumplir con su familia y bastante hizo acordándose de ella y dejándole lo suficiente para adecentar aquellos dos pisos de la calle de San Rafael. El abogado era de un cachondo siniestro. Se le reía ante la pechuga, y decía que debía estar agradecida a lo anticuado que era el señor Pau Safón.

—Un regalo así no se le hace en esta ciudad a una amante al menos desde antes del Congreso Eucarístico.

Muy gracioso. La ronda de pueblerinos y cincuentones salió de las penumbras del crepúsculo para concretarse indecisa ante los bares de putas. Los hombres. Los coges por el *piu* (1) y haces con ellos lo que quieres y se pierden, vaya si se pierden, en estos tiempos en los que no hay control ni nada y la carrera la hacen pendones drogadictas que te pasan un mal malo que te descompone. Como aquella criaja sucia y rota llena de collares que iba por lo libre, calle de San Rafael arriba, calle de San Rafael abajo, proponiéndoles a los tíos un «polvo literario».

—¿Qué les dices, nena?

—¿Y a usted qué le importa?

—Es por curiosidad, mujer.

—Que si quieren un polvo literario.

—¿Y eso qué es, nena?

(1) Pito.

8

—Un mal rollo. Yo ya me entiendo.

—Pero ellos no, nena. Que son todos del campo o de la construcción. De Matadepera o de Santa Coloma. Me parece que tú has aprendido el oficio en Pedralbes.

Volvía a estar allí, la criaja. Marta, se llamaba. Había tratado de ordenarse el pelo sucio, se había puesto carmín en los labios y rímel en unos ojos que así adquirían la categoría de feroces estrellas de luto. Le daba pena porque estaba más agarrada al mono que un guardián del zoo y desde cualquier esquina la vigilaría un chulo de mierda más pringado que ella. La muchacha alzaba de vez en cuando la cabeza hacia el balcón de la pensión Conchi, fingiendo sentirse agredida por el vaivén del neón, pero también para reconocer a doña Concha, acodada en la baranda. Luego subiría a tomarse un bocadillo de sardinas o mortadela y el café con leche corto que doña Concha le daba siempre que quería.

—Un bocata y un cortado, cuando quieras. En mi casa no le falta ni un bocata ni un cortado a nadie que necesite un bocata y un cortado. Pero para vicios, nada.

Le daba pena aquella chica tan leída y tirada que se enrollaba en inglés con los marinos perdidos y a la que le había llenado la cara de hostias un borracho cuadrado porque pensó que le estaba tomando el pelo cuando le propuso:

—Caballero, ¿sentiría usted una curiosidad morbosa en acariciar unos pechos pequeños rematados en dos pezones morados como los de las protagonistas adolescentes de las novelas de los años cincuenta?

Y el tío le dio dos hostias. Y luego cuatro. Y fueron seis. Y salió el chulito de un portal gritando como una histérica y con una navajita en la mano de esas que antes se utilizaban para sacar punta a un lápiz. Bajó doña Concha a la calle y se cagó en todos los muertos del borracho y le llamó todo lo que una mujer debe llamar a un hombre cuadrado para ponerle los cojones por corbata: cabrón, maricón, hijo de puta y fascista. Sobre todo lo de fascista desconcertó y amedrentó al borracho, que se retiró como un ejército total y totalmente vencido. Aun borracho no había perdido el sentido de los tiempos y vivíamos tiempos democráticos. Aquella noche empezó lo del bocadillo de sardinas y el café con leche.

—Es que si no comes algo no vas a tener fuerzas ni para pincharte.

Fue un argumento convincente. Y tras el segundo café con leche hubo suficiente confianza para preguntarle:

—Oye, ¿y tú sientes algo cuando te monta un tío?

—Depende de lo pringada que esté. Si estoy pringada, me da igual. Si no lo estoy, es como si me pusieran una lavativa.

—¿Y qué sabes tú de lavativas, nena? En mis tiempos sí que te ponían una lavativa en cuanto te descuidabas.

—Me las pusieron en una cura de desintoxicación, porque me dio por el estreñimiento.

—Pues vaya manera de ejercer el oficio. Yo empecé en la calle hasta que conocí a Pablito y a dos o tres más, porque sólo con Pablito no tenía para todo. Y entonces, pues, te abrías de piernas y dejabas hacer, pero con un cierto interés, porque un hombre que ve el desinterés en la cara de la mujer deja de sentirse hombre y se acaba la fiesta, la propina y el cliente. Seguro que no has repetido nunca a un mismo cliente.

—Ni me acuerdo ni me importa.

Allí estaba la criaja. Esperando un cliente inseguro y un bocadillo seguro. Preocupada por Marçal, el chulo muerto que llevaba encima, como un ejercicio de compasión, medio dormido en cualquier portal al calor frío de la última dosis. Un día la encontrarían muerta en un retrete con la jeringuilla colgada de una vena y ni siquiera sería el retrete de su casa. Se santiguó doña Conchi y el beso sobre la cruz de los dedos coincidió con la aparición del inquilino en la bocacalle. Bien plantado sí que lo era. Algo abierto de piernas y con la cabeza hacia adelante como para oler, ver mejor o simplemente para avisar de que llegaba. Pero no había amenaza en su cuerpo fuerte, sino una sensación de autocontención, de tener bajo control siempre su propia capacidad de movimiento, de saberse el peso y el volumen como quien se sabe el carácter y el destino. Pasó junto a la criaja y sonrió cuando le lanzó la proposición como quien tira un cubo de agua a los pies de un transeúnte. Doña Conchi se retiró de espaldas, acarició la hiedra de la maceta, cerró el balcón, revisó cuanto hubiera podido desordenar en la habitación y salió al pasillo en busca de su balancín trono situado ante un televisor en color. Aparecer en la pantalla el profesor Perich y en la puerta de la pensión el huésped, fue casi coincidencia. Saludó el hombre con una leve inclinación de cabeza y una sonrisa, y ella en cambio desplegó el rostro y el cuerpo como si le ofreciera la amplitud de una patria. Se fue el hombre hacia la habitación y ella prosiguió la comedia de ensimismarse con la filosofía cotidiana del profesor Perich.

—Lo peor que le puede ocurrir a un buzo es tener reuma.

Se removió por efectos de la risa, pero tenía la cabeza en la estela del huésped y rebuscaba excusas para una aproximación y una aclaración de tan extraños olores a medicinas. Por fin pareció encontrar una estrategia y saltó del balancín en marcha, componiendo el gesto de una ama de casa sonriente y oferente que va en busca del huésped para darle lo mejor de su hospitalidad. Llegó ante la puerta cerrada de la habitación y llamó con los nudillos.

—¿Don Alberto? ¿Le molesto, don Alberto?

Se abrió la puerta y el hombre parecía a la vez apoyarse en y aguantar el marco, con la musculatura tensa bajo la camisa blanca que se entintaba regularmente por las luces del rótulo.

—¿No le molesto, verdad, don Alberto?

—No. No. Por favor.

Y era una bonita sonrisa morena la suya, y tintinearon los ojos de doña Concha, en un acto reflejo, heredero de aquella gracia de coqueteo que según los más viejos del lugar había heredado de su tía Amparo: corista de Tina Jarque antes de la guerra civil.

—Es que he remoloneado por la habitación porque me ha parecido oler a gas. Ya ve usted qué tonta. ¿A qué gas se podía oler, si el calentador de la ducha es eléctrico? Pero yo olía a algo extraño y me he dicho: a ver si le ha pasado algo a don Alberto.

Y a medida que hablaba notaba que el olor no sólo salía de la habitación. El olor emanaba del propio cuerpo del hombre, como una sustancia invisible pero consistente.

—Es un olor a... medicina... no sé...

El hombre levantó los brazos para olérselos y se echó a reír discretamente.

—Algo así, sí, señora. Es un olor a linimento.

Los ojos de doña Concha buscaron la redondez de las sorpresas totales.

—¿Linimento? Yo he olido toda mi vida el linimento Sloan y no es lo mismo.

—No es linimento Sloan. Es otro. Me acostumbré a utilizarlo en México y a mí no me molesta, pero es posible que a los otros les moleste. Discúlpeme.

—¿Y por qué se pone tanto linimento, hombre? ¿Que está herniado o le pasa algo?

—No. No. Es que corro. Hago ejercicio...

¿Qué ejercicio hará éste para tanto linimento?, meditó receloso el cerebro de doña Concha, mientras los labios conservaban la sonrisa como una bandera.

—Soy futbolista.

—Futbolista.

Fue mitad incredulidad, mitad confirmación de lo que había oído. Luego, mientras la criaja se tomaba el café con leche y el bocadillo de sardinas, salió el cliente algo huidizo y buscó la noche y la calle como sin querer ser visto. Tampoco a doña Concha le interesaba pregonar el refugio que le daba a la putilla en su cocina y le dejó hacer, persiguiéndole sólo con la mirada llena de secreta duda.

—Oye. ¿Tú crees que un hombre de más de treinta años puede ser futbolista?

—Y yo qué sé.

—¿Tú crees que un futbolista, con lo que cobra, se vendría a vivir a un barrio como éste?

—Y yo qué sé.

Tenía mala noche la muy letrada. Mordisqueaba desganadamente el bocadillo, derrengada sobre una silla de metal y plástico, con las piernas abiertas y llenas de medias que le iban anchas. Nada da más pena que una mujer a la que las medias le vayan anchas, pensó doña Concha y apartó los ojos de tanta miseria.

«Porque habéis usurpado la función de los dioses que en otro tiempo guiaron la conducta de los hombres, sin aportar consuelos sobrenaturales, sino simplemente la terapia del grito más irracional: el delantero centro será asesinado al atardecer.

»Porque vuestro delantero centro es el instrumento que utilizáis para sentiros dioses gestores de victorias y derrotas, desde la cómoda poltrona de césares menores: el delantero centro será asesinado al atardecer.

»Porque el atardecer es la hora baja en la que descienden los biorritmos del entusiasmo, y el degüello y el estertor resuenan con una música tan truculenta como melancólica: el delantero centro será asesinado al atardecer.»

Carvalho terminó de leer y levantó los ojos hacia la cara de aquel joven lento y grave que desde hacía media hora estaba sentado en su despacho, con las piernas cruzadas sin esfuerzo, como si fueran dos apéndices leves, hechos el uno para el otro, para acariciarse de vez en cuando mientras se cruzaban en periódicos cambios de postura. También eran leves los movimientos de sus brazos, elegantes, ésta es la palabra, pensó Carvalho cuando quiso encontrar una cualidad estética a la simple impresión sensorial de levedad. Elegante. Y moderno. A juzgar por el peinado con gomina y un atuendo tan cargado de despreocupación como de alpaca, el joven jefe de relaciones públicas del club de fútbol más poderoso de la ciudad, de Cataluña, del universo, quería comunicar que la nueva directiva recién nombrada respondía a un nuevo espíritu, lejos de antiguas zafiedades, improvisaciones, premodernidades que habían caracterizado a los anteriores mandatarios del club.

—¿A qué delantero centro se refiere?

El muchacho arqueó una ceja y compuso una sonrisa de amable perplejidad.

—¿No lee usted los periódicos?

—Desde que no necesito envolver bocadillos no compro periódicos.

—¿Ni ve la televisión?

—Me duermo. Pongo mi mejor intención en ver la televisión pero empiezo a cabecear y acabo dormido como un tronco. Quizá sea la edad.

—Le facilitaré las cosas. Todo el mundo habla del fichaje que ha hecho el club. La junta directiva saliente nos dejó una plantilla descompensada y en cierto sentido quemada. Hemos trabajado para recomponerla y nos faltaba un gran crack, una gran figura internacional que devolviera la ilusión al público. Jack Mortimer. Bota de oro.

—¿Es una metáfora?

—No. Es un galardón. Al mejor futbolista europeo.

—¿Le dan una bota de oro? ¿Maciza?

No era hombre que se impacientara fácilmente, pero tampoco tenía vocación pedagógica, porque no añadió ninguna explicación a las que ya había dado y se predispuso a que Carvalho llevara la conversación por donde quisiera.

—¿Por qué quieren matarles a un delantero centro tan caro? ¿La competencia?

—No me la imagino planeando el asesinato de nuestro delantero centro. Sin duda se quiere conseguir algo que aún no se ha comunicado. Tal vez se trate de un maniático a la vez fascinado y envenenado por la envidia a una gran figura. De la pasta del asesino de John Lennon.

—Pero supongo que anónimos de este tipo reciben a miles y no les hacen caso. ¿Por qué a éste sí?

—Lo primero que hicimos fue comunicarlo a la policía, rogando la discreción que exige el posible efecto multiplicador de una noticia que afecta a un club con más de cien mil socios y con una expectación social que implica a millones de personas. La policía se movió discretamente y nos dijo que algo de cierto había en esta amenaza. Que de sus confidentes sacaban la conclusión de que algo estaba en marcha. La policía continúa su trabajo, pero con una prudencia obvia. El club considera necesario que, paralelamente a esa investigación, usted realice otra, moviéndose más a sus anchas, sin la aparatosidad que rodea a todo movimiento de la policía.

—Un club de fútbol no es una entidad anónima. Tiene a quinientos periodistas todos los días esperando pacientemente ante la puerta a que les caiga alguna noticia. ¿Cómo van a ocultar mi participación?

—Me gusta mucho que se haga usted esta pregunta.

—A mí me gusta mucho habérsela hecho y que a usted le guste que yo se la haya hecho.

Algo parecido a una sonrisa melancólica desdibujó la gravedad de aquel rostro de pulcro mensajero.

—Hemos de colaborar muy estrechamente. Podemos ser amigos.

De haber tenido algo en la boca, a Carvalho se le hubiera atragantado. Pero no tenía nada y se le atragantó la nada. Se quedó mudo y estupefacto.

—Yo seré su intermediario. No conviene que los periodistas le vean en relación directa con la directiva. Pero hemos de buscar un pretexto para que pueda moverse por el club a sus anchas.

—¿Se es relaciones públicas de un gran equipo de fútbol por vocación?

—Para emplear el sentido exacto de la palabra vocación, sólo sería aplicable a oficios en los que intervienen los dioses. Curas, por ejemplo. O monjas. Los dioses llaman y el aludido se siente convocado. ¿Acaso es usted detective privado por vocación?

—Necesito un papel o un carnet o algo que me autorice a moverme en los ambientes próximos al club.

—¿Le interesa a usted la psicología?

—La parda. Todos los conocimientos importantes me interesan pardos. La gramática, por ejemplo.

—¿Podría dar el pego como psicólogo?

—Es el mejor oficio para dar el pego.

Dejó un sobre encima de la mesa y esperó a que Carvalho lo abriera y sacara de él un papel sellado con el escudo del club y lo leyera.

—Me autorizan a hacer un estudio sobre «Psicología de grupo y entidades deportivas».

—Con este papel podrá usted hablar con todos los relacionados con nuestro club sin inspirar sospechas.

A aquel hombre elegante le entusiasmaba dejar cosas sobre su mesa y esta vez fue una tarjeta de visita que sacó de un billetero de piel carísima, con la misma unción con que los curas sacan las hostias del copón. «ALFONS CAMPS O'SHEA, RELACIONES PÚBLICAS.» Carvalho leyó la tarjeta y examinó a su propietario. Había una cierta idoneidad entre el nombre y el aspecto físico del joven, que descabalgó sus piernas con la suavidad de dos largas cuchillas de una tijera forrada de boata y recuperó la vertical. Se marchaba.

—Estudie el asunto. Conocemos sus tarifas y no habrá problema.

—¿Qué tarifas conocen? No todos mis clientes tienen

las mismas condiciones. Les haré un precio a tenor de lo que pagan por sus fichajes.

—¿Es usted delantero centro?

—Como si lo fuera. Soy un *bota de oro* en mi profesión.

Camps O'Shea abarcó de una mirada todo el contenido del despacho y luego la dejó en los ojos de Carvalho, como quien hace un inventario completo e irónico.

—No se fíe de las apariencias.

—No se preocupe. Las apariencias quedarán entre usted y yo. Haga un presupuesto y un plan.

Se abotonó su chaqueta de alpaca y la ajustó a su anatomía con la misma suavidad con que hablaba y probablemente existía. Tenía el esqueleto de lujo. Ya en la puerta, le detuvo la pregunta de Carvalho:

—¿Le interesa a usted mucho el fútbol?

El relaciones públicas se volvió y calculó el efecto que podía provocar su respuesta.

—Como deporte, me parece una ordinariez estúpida. Como fenómeno sociológico, me parece fascinante.

Y se marchó definitivamente sin tiempo para oír lo que Carvalho dijo casi para sí:

—Sociólogo. Lo que me faltaba.

Caviló Carvalho sobre las preguntas que hubiera debido hacer y no había hecho y le rompió la cavilación la llegada de Biscuter con todas las cestas de este mundo en sus dos únicas manos. Resoplaba el hombrecillo y sus soplidos levantaban hasta los cielos los cuatro pelos rubios y largos que le quedaban en la cabeza.

—Esta escalera me va a matar, jefe.

—¿Te has quedado con todo el mercado de la boquería?

—Estaba la nevera vacía, jefe. Prefiero bajar y subir esta escalera una vez que veinte. He comprado *cap-i-pota* y le haré unos *farcellets* de *cap-i-pota* con trufa y gamba. No se preocupe. Se lo haré *ligth*. Con poca grasa, pero algo de grasa necesita el cuerpo, si no chirría como una puerta oxidada. Luego le haré unos higos a la siria. Rellenos de nueces y cocidos en zumo de naranja. Bajas calorías. En lugar de mucho azúcar le pondré miel.

—Lees demasiado, Biscuter.

—Tendría que echarle un vistazo a la *Enciclopedia Gastronómica* que me he comprado a plazos. Parece increíble lo complicado del espíritu humano. ¿A quién cree usted que se le ha ocurrido rellenar los higos de nueces y cocerlos en zumo de naranja?

—Probablemente a un sirio.

El vídeo había terminado y se hizo la luz. Estallaron las conversaciones y los comentarios y las sombras fueron definitivamente sustituidas por el hervor de las palabras y los gestos. Tras la mesa presidencial aparecieron los bustos de los directivos encabezados por el presidente Basté de Linyola y en el centro geométrico permanecía iluminado, por una luz de animal elegido, Jack Mortimer, bota de oro y cabeza rubia de oro culminando una cara llena de pecas y sonrisas. Tomó la palabra el jefe de relaciones públicas Camps O'Shea para recordar a los periodistas el motivo del encuentro, bajo la brusca iluminación de los focos de las distintas cadenas de televisión que grababan el clamoroso evento de la presentación pública del nuevo fichaje. El propio Camps O'Shea se ofreció como traductor de Mortimer.

—Ha estudiado un curso intensivo de castellano, pero aún no se atreve a mantener una conversación y mucho menos con vosotros, que sois de lo que no hay.

Alguna risa pagó la broma distensora del relaciones públicas y entre las risas empezaron a brotar las primeras preguntas.

—¿También aprenderá el catalán?

—*Of course! També! També!* (1).

Fue lo que contestó Mortimer cuando le fue traducida la pregunta y se ganó un puñado de aplausos y de risas propicias.

—¿Qué impresión se siente cuando se ficha por un club tan poderoso como éste?

—¿Es usted consciente de que los futbolistas ingleses nunca han triunfado plenamente en Europa?

—¿Conoce usted la significación social y nacional del club por el que ha fichado?

—¿Mantendrá el promedio de treinta goles anuales que ha conseguido en el fútbol inglés?

(1) Desde luego. También. También.

—¿Prefiere esperar a que le lleguen las pelotas o le gusta bajar a buscarlas?

—Mortimer, usted se ha casado hace poco y espera un hijo. ¿Le pondrá Jordi si es niño o Núria si es niña?

Esta vez fue Camps O'Shea el que contestó directamente sin traducir la pregunta.

—El señor Mortimer puede inclinarse por un nombre catalán, pero no tiene por qué ser Núria o Jordi. Hay otros.

—¿Qué otros?

—Montserrat y Dídac, por ejemplo.

—¿Se llamará su hijo Dídac o su hija Montserrat?

—He dicho que podrían llamarse Montserrat o Dídac, o, evidentemente, también pudieran llamarse Núria y Jordi, o Pepet y Maria Salut, o Xifré o Mercè...

Algunos periodistas se impacientaban por la inconcreción onomástica y Mortimer asistía desconcertado pero sonriente a la elección del nombre de unos hijos que aún no tenía.

—Señor Mortimer, ¿ha probado ya usted el pan con tomate?

Pacientemente Camps O'Shea describió a Mortimer la composición del pan con tomate a la catalana: *bread, oil, tomato, salt. That's all? Yes, that's all.* Mortimer reflexionó sobre el plato que se le había propuesto y afirmó sin demasiado entusiasmo que haría lo imposible para incorporar el pan con tomate a su dieta, y añadió con gran vehemencia y con la rotundidad desesperada de un primerizo estudiante de castellano:

—Me gusta mucho la paella.

—¿Prefiere la paella a la catalana o a la valenciana?

Camps O'Shea pidió al periodista que le explicara las diferencias fundamentales entre la paella catalana y la valenciana y el periodista le dijo que había sido una broma. El relaciones públicas puso cara de póquer.

—¿No tenéis más preguntas?

—Mortimer, ¿es usted de esos delanteros centros que bajan a buscar la pelota o de los que no salen nunca del área, de los que consideran que el área chica, y la grande también, que ése es su sitio?

Tras la traducción, Mortimer pensó y contestó:

—Un delantero centro de verdad no debería salir casi nunca del área.

Camps O'Shea se levantó dando por terminada la rueda de prensa. Los fotógrafos disparaban como si les fuera en ello la vida o como si los carretes les quemaran dentro de las cámaras. Camps abrió paso hacia otra habitación a Mortimer y a los directivos encabezados por el presidente Basté de Linyola. Desaparecidos los fotógrafos y los periodistas, Mortimer había perdido el aura de dios de las áreas y parecía un muchacho que se había equivocado de salón y de compañía. Especialmente en relación con Basté de Linyola, empresario y ex político que había hecho de la presidencia del club una cuestión de penúltima significación social. Había estado a punto de ser ministro del Gobierno de España, consejero del Gobierno autonómico de Cataluña y alcalde de Barcelona. Casi a los sesenta años descubrió de pronto el cansancio y el miedo a que el cansancio le hiciera desaparecer del escaparate público del que no se había apartado desde que era la gran esperanza blanca del empresariado democrático bajo el franquismo. La presidencia del club era la antesala de la jubilación, pero le convertía en un poder fáctico y amaba el poder como único antídoto contra la autodestrucción. A los sesenta años, o tienes poder o te suicidas, se decía cada mañana ante el espejo que le enseñaba implacablemente el rostro cansado de ese otro que le iba creciendo dentro y que se convertía en su peor enemigo. Ocupar la presidencia después del largo período de hegemonía de empresarios bárbaros y pueriles le parecía una tarea agradecida, a la que aportaba su título de ingeniero y de *master* en Bellas Artes por la Universidad de Boston, una esquizofrenia cultural que tantos éxitos de *curriculum* le había dado en el pasado.

—Con nosotros el club vuelve a casa —había dicho en el discurso de toma de posesión, y la frase había prosperado tanto como la de que aquel club era más que un club, nada menos que el ejército simbólico de Cataluña.

Ahora se permitió observar a Mortimer primero con curiosidad y luego con una cierta ternura populista. Podía ser uno de sus jóvenes obreros de la fábrica del Vallés, uno de esos jóvenes obreros que excitaban su poética de empresario ilustrado y le provocaban la envidia que todo rico culturalizado siente ante los que prometen o simplemente se han prometido algo a sí mismos y se lo han tomado al pie de la letra. Su inglés era mejor que el de Mortimer, una auténtica provocación para el profesor del *Pigmalión* de Shaw, y ante esta evidencia el bota de oro del fútbol europeo se achicó, como si estuviera hablando desde una baja estatura social con alguien que representaba a los amos de siempre. Basté de Linyola le tendió un estuche y le incitó a que lo abriera. Dentro estaban las llaves de un apartamento de trescientos metros cuadrados situado en un barrio residencial de la ciudad, próximo al estadio, donde Mortimer podría reconstituir su familia durante los cuatro años de fichaje que le ligaban a la entidad. Y el vicepresidente primero, el joven banquero Riutort, vinculado a inversores árabes e industrias de *chips* japoneses, le ofreció otro estuche dentro del que brillaban con luz diríase que impropia las llaves de un Porsche que Mortimer había exigido como una de las condiciones contractuales. La directiva en pleno aplaudió y Basté de Linyola consideró que era responsabilidad del relaciones públicas decir las banalidades que el acto requería. Camps O'Shea dio la cara y la palabra:

—Ahora, Mortimer, ya eres un ciudadano más de Barcelona.

El muchacho estaba contento y acariciaba la llave del coche como si esperara el milagro de la aparición del vehículo en el salón. Alguien destapó una botella de cava y un camarero armó a cada asistente con una copa llena, momento elegido por Basté de Linyola para pronunciar el brindis. En su memoria disponía de una colección completa de brindis que había repasado aquella mañana antes de salir de casa. Le gustaba especialmente el que había pronunciado en ocasión del homenaje que los jóvenes empresarios barceloneses habían rendido a Juan Carlos cuando aún era un príncipe protegido por la sombra de Franco.

—Alteza, que en estas burbujas vea la impaciencia de un pueblo para acceder a la modernidad.

Tampoco estuvo mal el brindis que ofreció al presidente de la Generalitat reconstituida, desde su recién adquirida condición de presidente de la Cámara de Comercio e Industria.

—*Honorable, el cava és el nostre símbol. Ha estat*

necessari batejar-lo de nou, però continua essent el mateix (1).

Los brindis de Basté de Linyola eran muy comentados entre la llamada clase política y había quien se los atribuía a un reputado escritor habitual invitado en su yate. Basté de Linyola conocía el infundio y lo cultivaba, tanto como sus piezas de teatro secretas o sus composiciones musicales inéditas que interpretaba en la soledad de su estudio, con una voluptuosidad onanista del enterrado en vida que conoce el día y la hora de su resurrección. Si la deseara. Pero ahora las miradas le obligaban a comprometer el brindis, y hasta la cara pecosa y sonriente de Mortimer se lo pedía, con los labios dispuestos a secundar los sonidos extraños que adivinaría en la boca del señor presidente.

—Mortimer, marca muchos goles. Detrás de cada gol está el deseo de victoria de todo un pueblo.

Camps O'Shea aprovechó los aplausos para inclinarse hacia la oreja más propicia de Mortimer y traducirle lo que había dicho el presidente. El futbolista cabeceó con una voluntad de afirmación diríase que excesiva y su entusiasmo ya no se correspondía con el que conservaba la sala, donde cada cual se inventaba una excusa para la deserción y el propio Basté de Linyola la inició recomendando en voz baja al jefe de relaciones públicas que no abandonara al futbolista.

—Los primeros pasos son decisivos, Camps. Hasta que no llegue su mujer tendrás que hacerle la cama.

El presidente dirigió una mirada primero a un hombre silencioso y bebedor que apoyaba un hombro sobre un papel donde aparecía un cartel glorioso en la historia del club, y la misma mirada la depositó en los ojos de Camps O'Shea.

—¿Es él?

—Sí.

—¿No te parece arriesgado que haya venido?

—Nadie ha preguntado por él. Es nuestro psicólogo.

—Ojalá nunca necesitemos un psiquiatra.

Camps siguió la retirada de su presidente acompaña-

---

(1) Honorable, el cava es nuestro símbolo. Ha sido necesario bautizarlo de nuevo, pero sigue siendo lo mismo.

do de los últimos directivos y cogió por un brazo a Mortimer.

—Conozco un sitio donde hacen una excelente paella. He contratado un reservado.

—¿Podremos ir en mi Porsche?

—Claro. Vendrá con nosotros un amigo.

Carvalho abandonó su apoyado cansancio y siguió al futbolista y al relaciones públicas. Mascullaba silenciados e incongruentes agravios contra sí mismo por haber aceptado el encargo. Una paella compartida con un pijo y con un ternero inglés lleno de pecas. Tuvo una cierta intuición de desastre.

—No. No dejó señas.

Sólo el fugaz achique de los ojos traicionó la contrariedad del hombre y desarmó un tanto la desgana del portero para seguir una conversación que ya había aceptado de mal grado. Primero pensó que era un vendedor, pero luego vio que no llevaba nada en las manos y escuchó casi sin oírle sus preguntas sobre Inma Sánchez, la inquilina del ático segunda, y su hijo. El hombre tuvo que arrancarle una por una todas sus negaciones. Ya no vivía allí. No, no se había marchado sola. ¿Cómo iba a marcharse sola si no vivía sola? El niño también se había ido con ellos.

—No. No dejó señas.

Era el final de la conversación, pero adivinó demasiado pesar contenido en su interlocutor y bajó su guardia de portero de una casa de semilujo, en un barrio de semialto *standing*, a medio camino entre el Ensanche y las laderas del Tibidabo, con ascensor de servicio para pisos que no tenían servicio y plazas de parking que no todos los inquilinos habían podido contratar.

—¿El niño estaba bien?

—Parecía estarlo. Al menos bajaba los escalones de cuatro en cuatro.

—De cuatro en cuatro.

Algo le dijo al portero que debía ser benévolo con el recuerdo del niño.

—Buen chico. Y educado.

—Educado.

La humedad que había aparecido en los ojos del hombre fue inmediatamente compensada con un enderezamiento del esqueleto, como si quisiera recuperar una condición vertebrada que el sentimiento le estaba venciendo. Desde una tensión casi atlética, de pose de gimnasio, el hombre se sacó la cartera del bolsillo trasero del pantalón y de ella extrajo una fotografía que enseñó al portero.

—¿Había cambiado mucho?

El portero se sacó las gafas del bolsillo superior de su chaqueta de uniforme y examinó la fotografía con atención. Allí estaba la tía buena del ático, el niño y el hombre con el que estaba hablando. Al verlo en fotografía, un fogonazo de imagen rota le pasó por los ojos.

—Yo a usted le tengo visto. ¿Usted no sale en la tele?

—No. Ahora no.

—Pero ha salido. Yo le tengo visto en la tele.

—Hace años salí de vez en cuando. El niño, ¿ha cambiado mucho?

—Mucho. Es casi un hombre. Aquí debía tener siete u ocho años y ahora ya debe estar en los trece o catorce. ¿Es su hijo?

—Sí.

—¿Y usted por qué salía por la tele?

—Jugaba al fútbol.

—¡Ballarín! —gritó el portero como si hubiera llegado a una meta de su memoria, una de las metas más deseadas—. ¡Usted es Ballarín!

—No. Palacín.

—Eso, es Palacín. Ya me acercaba. Pues quién me iba a mí a decir que hoy me iba a encontrar con Palacín.

—A veces había escrito cartas.

—No me fijo en los remites. No siempre. Y además recuerdo su apellido pero no su nombre.

—Alberto. Alberto Palacín.

—Joder. ¡Palacín! Ya no quedan delanteros como usted. Ahora hay mucho mandungui y mucho centroleches. Pero aquello que hacía usted de ir de cara a la barraca y pelota adentro, con el portero y todo... Ya no queda gente así. Y ahora, ¿qué?, ¿retirado y a vivir de renta o de los negocios?

—Negocios. Renta no mucha.

—Bueno. Algo le quedaría. Aunque mucho tiempo

no jugó o no sé qué pasó. Le lesionaron. Eso es. Le lesionó aquel asesino. ¿Cómo se llamaba aquel defensa central que con la cara pagaba?

—Qué importa.

—¿Cómo que qué importa? Aquel tío fue a por usted. Como si lo estuviera viendo. Lo dieron por la tele. Entonces yo tenía un televisor en blanco y negro, pero lo tengo en la memoria en tecnicolor. Le dejó la rodilla que parecía una carnicería. ¿Qué fue?

Lo dijo en voz casi inaudible, de corrido, como si fuera una respuesta ya muy repetida o que le cansaba mucho:

—Rotura de menisco, de ligamento interior y de ligamento exterior derecha.

—La hostia. Como para comprarse otra pierna.

—Eso es. Como para comprarse otra pierna.

El portero le miraba las piernas con ojo crítico.

—Pues no le he visto cojear.

—No cojeo.

—Mala suerte. Ahora se estaría forrando. Usted pilló buenos tiempos, pero no como los de ahora. Todos millonarios y unos sin sustancia. El día que quieren jugar, juegan, y el que no quieren jugar, se esconden detrás del árbitro o detrás de los postes. ¿Ha visto usted a ese Butragueño? Parece un huérfano... y aquel otro, Lineker... un cantamañanas... Y ese que han fichado ahora, Mortimer, a ese paleto le van a enseñar los tacos los asesinos que hay por esos campos y le van a quitar las ganas hasta de ponerse las botas.

—Son buenos. Todos ésos son muy buenos.

—Como usted, ninguno.

—No, no es verdad.

—¡Ninguno, Ballarín, ninguno!

El portero le había cogido por un brazo y le recomendaba cariñosamente que no le llevara la contraria. Aún tenía la foto en una mano, la volvió a contemplar lleno de simpatía y ganas de colaborar.

—Un chaval cojonudo, el suyo. No dejaron señas, pero algo sabrán las del instituto de belleza de la esquina. La señora se pasaba la vida allí. Tienen de todo, gimnasio, peluquería, sauna. Seguro que sabrán algo.

La retirada de Alberto Palacín fue contenida por una llamada del portero.

—¿No llevará encima alguna fotografía para dedi-cármela?

El interpelado sonrió y se palpó el cuerpo para indi-carle que estaba vacío de sus deseos.

—Hace años que no llevo fotos mías encima. En Méxi-co llevaba, pero aquí...

—Lástima, hombre. Tengo un nieto al que le entusias-maría. Tiene una foto de Carrasco dedicada.

En su recuperada soledad, Palacín se quedó en una acera casi vacía, a la sombra de árboles con demasiado septiembre a cuestas, árboles jóvenes como joven era el barrio y las plantas colgantes de terrazas ajardinadas. A cincuenta metros tenía el reclamo de «Beautiful Peo-ple. Estética», pero en la muñeca el reloj le marcaba una urgencia que sólo él conocía. Volvió la espalda al rótulo. Al fin y al cabo ya sabía qué hacer mañana en sus horas libres en una ciudad que le volvía a desco-nocer.

Lo peor había sido el gusto a aceite refrito que había servido de base a una paella guisada por un especialista en ciencias naturales, obseso por combinar toda la bo-tánica y toda la zoología posible en un solo plato. Excep-to foie gras, aquella paella había tenido de todo y cada especie le enviaba a la boca el regusto de su agonía, antes de dejarse anegar por los jugos gástricos. Morti-mer tenía voluntades antropológicas acumuladas y de-gustó la paella como si comiera el alma de su país de adopción, y Camps apenas la probó, distinto y distante como un mayor inglés en las Malvinas. Carvalho aprove-chó los éxtasis de Mortimer para lanzarle preguntas de teórico psicólogo deportivo.

—¿Era usted un ídolo en su país?

—Sí, bastante.

—¿Hubo protestas populares cuando usted decidió fichar por un club extranjero?

—No. No. Allí hay muchos delanteros centro y mi club hizo un buen negocio. Mi club es una sociedad anónima y el producto de mi fichaje ayudará al superá-vit del balance anual.

—¿Ha padecido usted alguna vez extorsión? ¿Alguna mafia deportiva le ha chantajeado?

—No.

—¿No le han amenazado por carta? ¿Por teléfono?

—Una vez, cuando disputábamos una final de Copa con el Manchester. A veces los fanáticos amenazan. Pero luego no pasa nada. Se matan entre ellos en las gradas y a los jugadores les dejan en paz.

—¿Ha mantenido alguna pugna especial con otro jugador, de un equipo rival, naturalmente?

—Fuera del campo se olvida. Durante una temporada mantuvimos un duelo a muerte con Forrest, el central del Liverpool... Pero últimamente después de cada batacazo, lo diera él o lo diera yo, nos guiñábamos el ojo. Somos profesionales. El fútbol es nuestro pan. Los jugadores más peligrosos son o los más jóvenes o los más viejos. Los más jóvenes porque quieren llegar cuanto antes a ser respetados, y los más viejos porque quieren seguir demostrando que están en forma. Los defensas centrales viejos son muy peligrosos. Me partieron una vez el pómulo de un codazo. —Y Mortimer se puso de pie en medio del restaurante de la Barceloneta e invitó a Carvalho a que reprodujeran la jugada—. Salte. Usted salte como si fuera a rematar de cabeza.

Camps cerró los ojos instándole a que siguiera el juego y Carvalho se limitó a ponerse en pie, con las manos apoyadas sobre el mantel. Mortimer se pegó a él, saltó al tiempo que despejaba con la cabeza una imaginaria pelota y lanzó el codo izquierdo en dirección a su cara.

—¿Lo ve? Te pueden dejar K.O. y el árbitro ni se entera. Los codos son lo peor, porque las patadas se ven en seguida, pero los árbitros no se fijan en los codos, ni en los cabezazos. Stiles, el central del Totenham, tenía una cabeza de hierro y como te diera con la frente te dejaba fuera de combate.

Era su deseo lanzar su cabeza pelirroja hacia la de Carvalho o la de Camps, pero ambos se dejaron caer en el respaldo de sus asientos para evitar la representación.

—Comeré cada día paella —se prometió a sí mismo Mortimer.

Y le preguntó a Camps si había paellas congeladas porque a Dorothy no le gustaba nucho la cocina.

—Pasteles sí, porque en Inglaterra hay mucha afición. Pero cocinar no le gusta.

—¿Llevan mucho tiempo casados?

—Un año.

—¿No se aburrirá mucho su esposa en una ciudad que no conoce?

—Dorothy no se aburre nunca. Trabajaba de dependienta en Mark-Spencer, pero en sus ratos libres es ornitóloga. Quiere hacer una ficha de todos los pájaros de Barcelona. Le han dicho que en Barcelona hay muchos pájaros. Yo he visto muchos pájaros en las Ramblas.

—Es un mercado. Están en jaulas. No son pájaros indígenas.

Camps corrigió la acotación desalentadora de Carvalho:

—No se preocupe. Hay muchos pájaros que no están en la jaula. Si Dorothy tiene afición, por falta de pájaros no será.

—Eso espero. También me lleva la contabilidad. Tiene mucha cabeza para los números. Yo, en cambio, no. Yo juego al fútbol. Yo sé dónde va a ir una pelota sólo por la forma con que le van a dar un puntapié. Es instintivo. La prensa inglesa decía que yo sé adónde va a ir la pelota.

—Admirable —dijeron a la vez Carvalho y Camps, en tonos que Mortimer no supo apreciar diferentes.

El relaciones públicas aprovechó una urgencia de lavabo del muchacho para preguntarle a Carvalho su impresión.

—Es un pedazo de carne bautizado. Un bendito.

—Tiene la ingenuidad de todo animal joven. Aún le han dado pocas patadas.

—Pòr lo que nos interesa a nosotros, no ha viajado con sus enemigos a cuestas. Esos anónimos han nacido aquí y tratan de provocar un efecto aquí.

—Hay que ser precavidos, pero yo no les concedo demasiada importancia. Un loco que enmudecerá dentro de unas semanas o que se irá liando hasta quedar en evidencia, si lo que quiere es notoriedad.

—Hay locos que matan a los ídolos.

—En Estados Unidos. Los mitómanos europeos son más civilizados. Por si acaso, rastree por aquí.

—De este chico no voy a sacar nada. Con una paella ya he tenido suficiente.

—No le ha gustado la paella.

—No. El arroz es un animalito muy delicado, señor Camps. Aparentemente se puede hacer con él lo que se quiera, pero tiene un alma nuclear muy sensible. No se puede comparar ni con la patata ni con la pasta italiana, que son también simples vehículos con volumen y textura para toda clase de sabores. El arroz necesita un sabor fundamental o bien quedar desligado para asumir todos los sabores. Por eso sólo se puede guisar con cosas dotadas de un mismo padre y una misma madre, y cuando se combina con carne y pescado debe tratarse de arroz blanco, hervido en su soledad, colado y luego combinado con otras soledades. Los valencianos auténticos son los inventores del arroz guisado en compañía y no son los inventores de esa truculencia a la que llaman paella de pollo y marisco en muchos restaurantes. Los chinos y los asiáticos son los maestros en el arroz solitario, combinado luego con lo que quieras, sean tres, cuatro o cinco mil delicias. Y lo que ya es intolerable es que te sirvan una paella como la de hoy en la que el arroz ha sido sofrito en medio litro de aceite empleado para achicharrar toda clase de pescados. Esto no era paella. Esto era un subproducto de hospital de quemados.

Camps había ido boquiabriéndose paulatinamente. Empezó a escuchar el monólogo de Carvalho con su condescendencia habitual hacia la inutilidad de los pensamientos y las palabras ajenas, pero la irritación y la ciencia de Carvalho habían conseguido interesarle.

—Asombroso. Entiende usted de cocina.

—No entiendo de otra cosa. Pero tampoco demasiado.

—¿Es indispensable entender de cocina para un detective privado?

—No. Pero para un psicólogo social, sí.

—Qué interesante. Explíquese.

—No soy orador.

—Antes me ha parecido que lo era.

—Las sobremesas me excitan.

—Explíqueme la relación que hay entre la cocina y la psicología social.

—El hombre es un caníbal.

—Empezamos bien.

—Mata para alimentarse y luego llama a la cultura en su auxilio para que le brinde coartadas éticas y estéticas. El hombre primitivo comía carne cruda, plantas crudas. Mataba y comía. Era sincero. Luego se inventó el *roux* y la bechamel. Ahí entra la cultura. Enmascarar cadáveres para comérselos con la ética y la estética a salvo.

—¿Es usted crudívoro?

—No. Todo mi desprecio por la cultura en general como máscara lo aparco cuando se trata de la comida. La única máscara que acepto de buen grado es la cocina.

—¿Y el sexo?

—El sexo con máscara es estúpido y nocivo.

Como Carvalho enmudecía para encender un Rey del Mundo especial que había reclamado al camarero, Camps quedó a la espera del encendido del puro para que siguiera en sus exposiciones. Pero Carvalho se limitó a fumar con un cierto deleite en los labios y en los ojos achicados.

—Siga. Me interesa mucho lo que decía. Es usted un filósofo.

—No sé más. Todo lo que sabía se lo he dicho y me sorprende que se lo haya dicho. Envejezco. Trato de saber el porqué de lo que hago. —Y como si hubiera recibido un aviso interior se puso en pie—. Le dejo con su pupilo. Yo he de empezar a moverme. Mis contactos son de sobremesa.

La hora del café es la mejor para los limpiabotas, se dijo Carvalho mientras abandonaba el restaurante de la Barceloneta con las piernas un poco derivantes por las dos botellas de Brut Barocco que le habían tocado, entre un Camps casi abstemio y un Mortimer que apenas si probaba el alcohol, ni siquiera el cava, con el que Camps trataba de introducirle en la matriz de la Cataluña esencial: el pan con tomate, el cava, las *seques amb butifarra*, la *escudella i carn d'olla*... había declamado Camps como si estuviera recitando un poema patriótico. Sobre las arenas populistas de la playa de la Barceloneta tomaban el sol de septiembre cuerpos bronceados con la ayuda de la contaminación atmosférica. Por los ojos interiores de la memoria le pasaron dos imágenes desvaídas de su infancia en aquella playa, y estuvo a punto de enternecerse, pero el olor de aceite refreidor de cabezas de gambas descongeladas era mal agente conductor de la ternura por la propia memoria y buscó un taxi en el paseo Marítimo, varado en el tiempo y en el espacio, a la espera de la prolongación que le haría ensartar la Villa Olímpica. A lo lejos, las casas derruidas para la construcción de la ciudad de los atletas fingían ser decorado de una película sobre el bombardeo de Dresde o de cualquier otra ciudad suficientemente bombardeada. Aquella nueva ciudad ya casi no sería la suya, encerrada en una coordenada elemental que no tenía más norte que el Tibidabo, ni más sur que el mar y la Barceloneta. El taxi le dejó en las Ramblas, a los pies del monumento a Pitarra, en la plaza del Arco del Teatro. Las jóvenes putas disfrazadas de putas jovencísimas permanecían alineadas en la acera del Amaya y del palacio Marc dedicado a la Conselleria de Cultura del Gobierno de la Generalitat de Cataluña. Enfrente, la iglesia de Santa Mónica evidenciaba la cirugía estética que la convertiría en Museo de Arte Contemporáneo de Cataluña, y a sus espaldas, la piqueta se cernía sobre el barrio del Raval para abrir caminos por los que se fueran los malos olores de la droga y el sida, la inmigración magrebí y negra. Mientras haya putas jóvenes, habrá arte contemporáneo, se dijo, y fue para él la prueba de que había alcanzado el grado deseado de surrealismo etílico. Bromuro no estaba limpiando calzados clientelares del Cosmos y se metió por la calle de Escudillers en busca de aquel viejo calvo y derruido arrodillado a los pies de un hombre somnoliento. ¿Por qué las mujeres no utilizan limpiabotas? En otro restaurante de paellas y calamares a la romana encontró a Bromuro afanado sobre los zapatos de un hombre satisfecho de sí mismo que parecía suizo o un rico catalán de Vic.

—Espera un poco, Pepiño. Después del caballero aún tengo a otro.

—Para ti no existe el paro, Bromuro.

—Toco madera.

Se acodó en la barra y completó su fiesta interior con whisky de malta sin hielo y sin agua. Tenía prisa por desconectar su capacidad de autocontrol, pero no sabía para qué. Bromuro cumplió con sus clientes y luego asumió los zapatos de Carvalho entre disculpas por su atareamiento.

—La gente vuelve a limpiarse los zapatos, Pepe. Los limpias vuelven a prosperar, los más jóvenes, porque yo me hago tres o cuatro al día y aun a clientes habituales. ¿Por qué la gente vuelve a limpiarse los zapatos, Pepiño? ¿Te has puesto a considerar esta cuestión? Pues considérala, que tú tienes mucha cosa ahí dentro y se ha de notar. Yo veo un cambio. En todo. Y no te hablo de un cambio como el de los años cuarenta o cincuenta o el de los años de las vacas gordas, los sesenta y los setenta hasta la muerte de Paco. Es otro cambio. Y ya ves tú que lo noto por lo de los zapatos. Durante diez años a la gente le daba vergüenza ponerte el zapato delante de las narices y decirte: hala, a limpiar. Iban al dentista a que les quitara el sarro, y más que nunca. Pero el sarro de los zapatos lo amasaban en casa con esos abrillantadores de mierda que tanto daño nos han hecho a los limpias. Había que ser demócrata por cojones, y acudir a un limpiabotas no era democrático. Ya me dirás tú qué tiene que ver la gimnasia con la magnesia. Ahora se ha perdido aquella vergüenza. Para nosotros, de puta madre, Pepe, pero en otras cosas no, no diría yo que vamos mejor. ¿Qué crees tú?

—¿Qué sabes de unos tíos que quieren cargarse a un delantero centro?

—¿Al Schuster?

—No. Ése no es delantero centro y ya no está aquí.

—¿A un delantero centro, delantero centro?

—Sí.

—Nada.

—Pues entérate.

—Baja la voz, Pepe, que aquí escuchan hasta las coca-colas.

—¿De qué tienes miedo, Bromuro?

—De todo.

—¿De que te echen bromuro en el agua para que no se te levante?

—Eso ya no les hace falta. Ahora el miedo está en todas partes. Todo el mundo tiene miedo. Y yo también. Esto no es lo que era, Pepiño. Iré a tu despacho dentro de dos horas y allí hablaremos tranquilamente.

Un vaso de vino. Un vaso de vino, por favor. Y como ante la urgente sed de un náufrago recién rescatado del oleaje, Biscuter se fue hacia la cocina en busca de lo que le pedía Bromuro y volvió con una botella y tres vasos. Llenó el de Bromuro hasta la mitad y se lo tendió. Lo husmeó el limpiabotas, lo separó de sus ojos para comprobar la transparencia al trasluz y arrugó la nariz.

—No es que no me fíe, pero ¿es de marca?

—¿No ves la marca en la botella? Valduero. El jefe está probando los vinos de la Ribera del Duero. Uno tras otro. El mes pasado le dio por los de León. Con todos los respetos y no es porque esté usted delante, jefe, pero últimamente tiene más manías que nunca. El jefe dice, y que me corrija si me equivoco, que quiere probar todos los vinos buenos antes de morir.

—¿Y por qué no me has llenado la copa?

—El jefe dice que una copa de vino no debe llenarse hasta el borde.

—¿Eso dices tú, Pepiño?

—A Bromuro llénasela, Biscuter. Tiene otras costumbres.

Biscuter parecía haberse levantado con el pie izquierdo y refunfuñó que el mismo Bromuro se sirviera, para después marcharse a la cocinilla situada junto al wáter y dar un discreto portazo que avisaba de tormentas interiores que los demás deberían adivinarle.

—Está de mala leche el enano, y le llamo enano cariñosamente, ya sabes, Pepiño, que yo quiero a Biscuter. Pero acabas de decir algo, Pepe, que me ha dolido.

—¿Qué te ha dolido, Bromuro?

—Eso de que tengo otras costumbres.

—No era para menospreciarte.

—Lo sé, Pepe. No estás hablando con una señorita cursi y tierna como una violeta. Estás hablando con un caballero legionario y un divisionario de la campaña de Rusia. Y ahí está el drama. Contigo aún puedo hablar de la campaña de Rusia, aunque seas rojo, o hayas sido rojo, porque tienes memoria. Pero ya no entiendo el mundo que me rodea, Pepiño. La gente ha perdido la memoria y no quiere recuperarla. Es como si la considerara inútil. ¿Inútil? Si me quitas los recuerdos, ¿qué queda de mí? ¿No ves en todo esto una conspiración de estos niñatos socialistas? Les interesa que todo empiece con ellos. Y son como todos. Ya no reconozco nada. Te lo he dicho antes y ahora te lo digo con toda la mala hostia que llevo dentro desde hace tiempo. Pepiño, estamos rodeados.

—Si tú lo dices...

—No sé, a lo mejor he hablado por mí. Antes no me he atrevido a hablarte en público porque las paredes oyen. Ya no estoy a gusto ni donde antes estaba a gusto. Antes conocía a todos los chorizos de esta ciudad, Pepe, a todos. Eran como de la familia. Entraban y salían de la Modelo, apañaban lo que podían y Bromuro era su archivo, aquí, en mi coco tenía toda la mierda de la ciudad. Ahora, Pepe, es que da pena. Nos han colonizado.

—Te refieres al famoso imperialismo americano.

—Y una leche. Me refiero a los nuevos capos. No hay ni un capo español, Pepe. Aquí se lo reparten todo entre negros, sudacas y moritos, y los chorizos del país a trabajar para ellos y pobre del que trata de establecerse por su cuenta. ¿Te acuerdas del *Martillo de Oro*, aquel chulo putas tan salao que te presenté? Pues apareció hace dos meses más muerto que un perro en un descampado. Ése iba de chulo por la vida y no supo darse cuenta de la situación. Y no te creas que esos negros o moros que se mueven por la ciudad a sus anchas sean de los mismos que trabajan en las obras o en el campo. Éstos son mafiosos que llegan aquí bien trajeados y bien conectados y llevan de coronilla hasta a la policía. El otro día me lo comentaba un guri muy simpático, muy echao palante, que es paisano mío; Valverde se llama, José Valverde Cifuentes. Pues me dijo: Bromuro, vamos de culo porque todos los negros y todos los moros son iguales y cuando dan un golpe la faena ya empieza en la identificación. Tú puedes identificar a un tío de Calahorra o de Marbella o de Estocolmo, pero que te echen diez negros o diez moros y a ver quién es el fisonomista que señala al que lo ha hecho. Y si lo señala, peor para él, porque luego se lo cargan y la poli en Babia, porque no quiere enterarse y porque si se entera, ¿qué? Un día en los juzgados, y si los quieren echar del país les sale más caro meterlos en un avión o tenerlos en la cárcel que en la calle. Prefieren hacer como si no vieran nada o llegar a un acuerdo con los capos: no nos toquéis demasiado los cojones y a cambio nosotros no os tocaremos demasiado los cojones a vosotros. ¿Comprendes, Pepe? Si da un golpe *el Macareno* o *el Nen* o *la Mapi*, pues los guris a por ellos y los cogen hasta con los ojos cerrados. Pero a los extranjeros no hay quien les tosa. Y entonces llega mi problema. ¿Qué pinto yo en todo esto? Nada. La más asquerosa de las nadas. Ya me han venido morenitos de esos trajeados como de revista de modas, con más oro encima del cuerpo que la Lola Flores y me han advertido: tú a limpiar zapatos y a callar. A mí me dice alguien eso hace cuatro, cinco años y le doy con la caja en la cabeza y le enseño el pecho con todos los tatuajes que me hice en la Legión y en la División Azul; toma, lee, mamón, mira, entérate de con quién estás hablando, con un caballero legionario. Pero le hago eso a uno de los de ahora y se me ríe en las barbas. Se me ríen hasta los polis. Antes se me cuadraban, porque un soldado de Franco, aunque fuera un soldado de a pie, les acojonaba. Pero ahora ni los capos, ni los polis saben ya de qué ha ido esta misa. No tienen memoria. Se meten la memoria en el culo. La de ellos y la nuestra, Pepe. La nuestra también. Por eso cuando me vienes a pedir información me dejas jodido, Pepiño. Qué más quisiera yo que poder dártela, y bien que me van tus propinas. Pero es que no puedo. No sé nada.

—Sabes quién puede saberlo.

—Eso sí.

—Pues llévame a ellos.

—Pepe, no me atrevo. Me dejan hacer porque yo me hago el loco, pero si les digo a esos sudacas o a esos morenos: oye, tengo un amigo que quiere hablar con vosotros, son capaces de darme, Pepe, que los conozco, y decirme que quién me ha metido a mí en este entierro. Estamos colonizados. Los españoles a hacer chapas para ellos y al mismo tiempo sordos y mudos. Ya es triste que tengamos que ser peones hasta en esto. En vez de viajar tanto por el mundo, Felipe González debería preocuparse de que al menos robaran o nos pincharan criminales españoles. Yo siempre he sido muy patriota y me subleva que estén vendiendo España. El otro día unos cabezas de huevo de esos que piensan y hablan por los descosidos estaban en la tele que si patatín que si patatán sobre que España está en venta y que todo Dios viene a invertir aquí porque sacan pela larga. Claro que la sacan. Si hasta han vendido las plazas de la choricería. Hay tíos que tienen una silla en la plaza Real que no la dejarían ni por dos millones de pelas, porque les basta estar sentados todo el día allí para sacarse una fortuna. Que si coca, que si... en fin. Qué te voy a contar. Y las putas con un poco de presencia, de sudaca para arriba. Empieza a no haber chulo putas importante del país. De putas de medio pelo para abajo, ésos son chulos españoles, pero en cuanto sale un guayabo de diez mil el polvo para arriba, eso ya va a parar a los extranjeros. Un Franco nos haría falta. Ya me gustaría ver a mí qué pasaría si Franco levantara la cabeza y el sable. Ya veríamos dónde se meterían tantos chorizos extranjeros. Si se ha de robar, que se robe, pero que todo quede en casa, y además está demostrado que nadie puede darnos lecciones tampoco en eso de la choricería. Pero nos pasa lo de siempre. ¿Quién inventó el helicóptero, Pepe? ¿Y el submarino? Españoles. ¿Quién sacó provecho a estos inventos? Los yanquis. Pues nos está pasando lo mismo en lo de la choricería. Aquí siempre se ha robado y se ha matado como nadie, pero con una manera propia, nacional, y ahora vienen estos marcianos a darnos lecciones y a llevarse el botín y hasta los negros nos pasan la mano por la cara. ¡Hasta los negros, Pepe! Te lo digo y te lo repito. Yo ya no me entero de nada. Todo este mundo se divide en dos razas: la de los mafiosos que lo controlan todo y la del colgado de la droga que va a la suya y al que no controla nadie. Y en medio el viejo Bromuro más achuchao que un perro pelón y con pulgas. Que ya no tengo manos para tantas cosas como me duelen. Que si un día el riñón. Que si otro el hígado. Que no meo bien, Pepe, que ni siquiera meo bien, que ya no me sirve ni para mear, y cuando me la sacudo me parece tenerla de madera y no sé por qué me la sacudo porque esto que me cuelga es una cañería que ya sólo gotea. Ya me la puedo estar sacudiendo dos días que no para el gota a gota.

Carvalho le había dejado hablar pero aun fingiendo

que no le hacía excesivo caso, paulatinamente fue interesándose por el discurso que se parecía a los que en los últimos años traducían el pesimismo progresivo del viejo, pero esta vez le sonaba a menos retórica, a expresión sincera de un cambio de impotencia. Era la impotencia esencial y sus gestos para situar sus dolores eran gestos de hombre con dolor que incluso apenas se tocaba lo que le dolía porque quizá ahora, aquí, le estaba doliendo.

—Hay médicos, Bromuro.

—Y te lo encuentran todo, Pepe. Yo antes iba a uno muy bueno, del Seguro, que siempre me preguntaba: ¿usted quiere que le encuentre algo? No. Bueno, pues entonces adiós muy buenas. Me marchaba y tan sano durante sesenta años de mi vida. Pero se jubiló aquel médico y desde entonces no he vuelto. Mejor dicho. Un día volví y me vio el sustituto, un niñato que nada más echarme el ojo encima empezó a suponer todos los males que tenía. Alguno lo acertaba, pero otros eran de su cosecha y yo aproveché que le llamaban por teléfono para largarme. De haber sido verdad todo lo que suponía sólo con verme, yo ya estaría muerto. Además, me da no sé qué ir solo al médico.

Carvalho se oyó decirse a sí mismo:

—Yo te acompaño.

Bromuro se lo quedó mirando como reconociéndole lentamente y tragó saliva.

—Me daría no sé qué ir contigo al médico. Si estuviera casado... Para eso vale la pena estar casado. Siempre he soñado con ir al médico con mi mujer, y ya ves tú lo malo que he sido siempre para casarme. Ahora me gustaría estar casado. Es bonito ir al médico con la señora.

Carvalho volvió a oírse decir:

—Te acompañará Charo.

Todas las arrugas sucias de la cara del limpiabotas se conmovieron y sus ojos bailaron con la alegría.

—¿Charo haría eso por mí?

—Charo necesita un padre al que poder acompañar al médico.

—Ya estás de chunga, Pepe.

—Te lo digo en serio.

Bromuro se acabó el vaso y paladeó la excelencia

del vino con una lengua libre en la boca casi libre de diente alguno.

—Me puedes. Te buscaré un contacto. Pero ojo con el ganado.

Carvalho le metió mil pesetas en el bolsillo del chaleco y Bromuro cerró los ojos al sentir el contacto sobre su cuerpo.

Juan Sánchez Zapico se lo debía todo a sí mismo y había sabido rodearse de gentes incapaces de llegar a la conclusión de que se debía bien poco. Los cuatro bloques que había construido en el barrio, los seis almacenes de chatarra que prolongaban los dominios de su rancho hasta los límites de Pueblo Nuevo con San Adrián, la pequeña fábrica de peladillas y almendras garrapiñadas a las que había incorporado la más moderna *tecnología*, como solía repetir a quien quisiera escucharle, le habían hecho un hombre lo suficientemente rico, y para siempre, como para dedicar parte de sus ocios a la presidencia del Centellas, equipo con historia de barrio con historia, en los orígenes del fútbol catalán capaz de luchar por la hegemonía con el Barcelona, el Europa, el Español o el San Andrés, pero desde la guerra civil apenas un club superviviente que se sucedía a sí mismo, impulsado por la incondicionalidad de una afición de barrio y por el patrimonio de un campo de fútbol situado en una zona clave para la expansión de la ciudad. El patronato de fundadores del Centellas había resistido todas las tentaciones de venta del campo, tanto en las expansiones urbanas de los años cincuenta y sesenta, como cuando empezaron a husmearlo los cazadores de la futura especulación en todos los alrededores de la Villa Olímpica. Situado en la tercera o cuarta línea del mar, casi en los límites de San Adrián, el campo del Centellas quedaría engullido en el futuro por la Barcelona que crecería a partir del núcleo irradiador de la Villa Olímpica convertida en bloques de apartamentos para la nueva pequeña burguesía postolímpica, en contraste con la población próxima y aborigen: catalanes proletarios residuales e inmigrados de distintas capas arqueológicas.

—Tiempo al tiempo —decía a veces Sánchez Zapico cuando los más impacientes miembros del patronato o de la junta directiva le resaltaban las bondades de las ofertas de compra.

Otras veces su respuesta era más épica y elegíaca:

—Mientras yo viva, vivirá el Centellas, y sin este campo, el Centellas moriría.

«El Centellas es su campo», gritó al final del discurso de presentación de Palacín a la plantilla, a unos doscientos seguidores que estaban en las doce gradas arruinadas por toda clase de erosiones y tres periodistas interinos, recién salidos de la Facultad de Ciencias de la Información que cubrían los acontecimientos de tercera mano con magnetófonos de cuarta mano comprados en los encantes de la plaza de las Glorias.

—Hemos fichado a Palacín para llenar el campo. No es sólo un nombre. Es un delantero centro como la copa de un pino, con dos cojones, como tiene que ser.

Los periodistas apuntaron «con dos cojones, como tiene que ser», pero luego en sus diarios o en su emisora de radio, se limitaron a decir que, en opinión de Sánchez Zapico, Palacín los tenía muy bien puestos. El nuevo fichaje sólo mereció una fotografía que no fue publicada, aunque en el rincón inferior de la última página par de información deportiva, breves titulares trataban de crear la sensación de noticia en torno de la reaparición de Alberto Palacín. «Que el Centellas se toma la próxima temporada en serio y casi por encima de sus posibilidades, lo demuestra el fichaje de Alberto Palacín, aquel delantero centro que en los años setenta fue saludado como el nuevo Marcelino y que luego se eclipsó después de una grave lesión. A continuación militó en el fútbol yanqui y finalmente fue un ídolo para la afición de Oaxaca (México), llegando a ser uno de los goleadores más regulares de la Liga mexicana. A sus treinta y seis años, Palacín ha declarado que piensa ayudar al Centellas a subir a tercera división y que después se retirará. Sus movimientos por el campo demostraron que está en forma, aunque los años no pasan en balde.» Lo escribió un periodista de veintidós años, es decir, un periodista sin edad, pensó Palacín, cuando leyó el recuadro y recordó vagamente al muchacho que le regaló durante unos minutos el papel de una *vedette*.

—No hagas caso de la prensa. Yo nunca hago caso de la prensa —le recomendó el presidente, pensando que el dato de la edad le había herido—. Un periodista es como un tío con una pistola. Se piensa que porque tiene un boli en la mano tiene más cojones que tú. Tú échale cojones a la cosa. El fútbol sin cojones no es nada.

Del mismo criterio era el entrenador del Centellas, Justo Precioso, contable de una de las empresas del presidente y entrenador titulado tras una oscura etapa de jugador de segunda división como defensa lateral derecho al principio y defensa escoba al final. Era un hombre delgado, triste y calvo, con mucha barba mal afeitada y una nuez que parecía un tercer testículo a juzgar por su afán de igualar al señor presidente en la referencia metafórica de tan simbólicos órganos.

—¡Toté, échale más cojones! —le gritaba al defensa central—. Pérez, con los cojones por delante —le gritaba al hasta esta temporada delantero centro titular, ahora desplazado a interior en punta tras la llegada de Palacín.

De vez en cuando recurría a una vieja pizarra para programar algunas jugadas, pero no siempre había tiza y cuando la había chirriaba hasta poner la piel de gallina a los jugadores menos sensibles. Lo suyo era el entrenamiento en vivo, sobre el césped. Allí, allí se ve la inteligencia y los huevos, decía, en aquel gol sur para el que se reservaba la iluminación economizada hasta la penumbra, mientras el resto del campo en sombras parecía el espectral paisaje para las carreras de fondo de anochecidos futbolistas en chandal.

—No puedo forzar la pierna —le avisó Palacín.

—¿Hoy o siempre? —preguntó el *mister* con la nuez alarmadamente paralizada.

—De vez en cuando. Los cambios de tiempo. Pero cuando me caliento todo va bien.

—Eso espero. Tú juega a tu aire. Pero pon cojones. Muchos cojones. Los defensas centrales de categoría regional son más asesinos que los de tercera o los de segunda. Al lado de ellos, Pontón era un angelito. —Y le guiñaba el ojo porque había mencionado el nombre del histórico asesino de su rodilla.

En aquel primer entrenamiento los jugadores miraban tanto como jugaban. Palacín era el objetivo de sus reojos valorativos y en las disputas de la pelota había tanto respeto como ganas de demostrarle que no les deslumbraba el fulgor residual de su pasado. Especialmente Toté, el defensa central, se le pegó al cuerpo hasta sentirlo como una lapa sobre su espalda y su culo, y cuando Palacín frenaba la carrera, protegía la pelota con el cuerpo y se apoyaba en una pierna para dar el giro que dejaría desplazado a su marcador, un codo le desequilibraba o un rodillazo en el muslo lo convertía en un hombre caído o a punto de caer. Fue en uno de estos encuentros cuando la rodilla de Toté dio contra su rodilla enferma y Palacín se convirtió en un animal eléctrico que dejó de lado la pelota y se fue a por su compañero de equipo, agarrándole por la camiseta y acercándole la cara como si quisiera comerle la mirada maliciosa.

—Tómatelo con calma, mamón.

—Eso tú. Aquí no jugamos como señoritas.

—Pero ¿qué leches estáis haciendo? —El entrenador corrió hacia ellos con los brazos abiertos para separarlos.

No fue necesario. Los dos jugadores se habían quedado quietos, escarbando con un pie el barrillo del área y el *mister* rodeó con un brazo los hombros de Toté y se lo llevó hacia el córner, donde lo sometió a una confesión en voz queda. Luego se fue hacia Palacín, que se examinaba la rodilla con una mano cautelosa.

—Lo siento. Pero este tío no es un defensa central, es un legionario.

—Le he dicho yo que juegue como un legionario.

—No te sulfures. Es un pedazo de pan.

—Hay pedazos de pan muy duros.

—¡Venga! ¡Al trote! ¡U ao! ¡U ao! ¡U ao!

Los jugadores estatuas se pusieron a correr en fila india, saltando ora apoyados en una pierna, ora en otra y moviendo el cuello y los brazos como si los tuvieran dislocados. El entrenador corría al lado de la serpiente de chandals y adelantaba o retrocedía para tener una visión de conjunto de la voluntad de carrera de la tropa. Había prohibido los relojes en los entrenamientos, pero algunos jugadores los llevaban bajo la manga y los consultaban a la espera del silbato fin de entrenamiento.

—¡Ese culo! ¡Ese culo! ¡Que parece que corráis sentados! ¡Tenéis que sentiros los huevos, tenéis que sentir cómo bailan los huevos! ¡U ao! ¡U ao!

Se le acabó el grito y el resuello y emitió el esperado silbido. Se descompuso la fila y algunos aceleraron la carrera para llegar cuanto antes al vestuario. A veces no había agua caliente para todos a pesar de que Sánchez Zapico había regalado al club un poderoso calentador de gas propano a cuya inauguración había asistido toda la plantilla en pleno, los directivos, sus señoras y los hijos de menor edad. El calentador era el único elemento con futuro en aquel vestuario lleno de goteras y humedades en las paredes desconchadas, en el que cada armario cerraba o no cerraba, según una secreta voluntad que ningún carpintero había tratado de corregir en los últimos diez años. Palacín se quitó las botas y las dejó caer contra el suelo. Las dos duchas estaban ocupadas y conservó el chandal puesto para no enfriarse.

—Lo siento —le dijo Toté al pasar a su lado completamente desnudo y le tendió una mano que Palacín aceptó.

—Es un tío muy legal —le avisó un muchacho rubio que se sentó a su lado y empezó a descalzarse.

—No te entraba de mala leche, es que le caduca el contrato en junio y hace méritos.

—Ya.

—Mi padre me ha dicho que eras un fenómeno.

Los ojos del chico lo sorbían como si fuera un resto de elixir de su gloria.

—No. Un poco por encima del montón.

—Te vio marcar un gol al Atlético de Madrid que todo el estadio se puso en pie.

—Otras veces se pusieron en pie para silbarme.

—Quien tuvo, retuvo. Me ha dicho mi padre. Dice que tenías un cuello que parecía un muelle. Zum zum y salía la cabeza disparada hacia la pelota. Tenías tanta fuerza rematando con la cabeza como con el pie.

—Eso es imposible, chaval.

—Ya lo sé. Pero él se lo cree. Yo juego de centrocampista.

—Ya lo he visto.

—¿Qué tal lo hago?

—Muy bien. Juegas con la cabeza levantada y eso es

fundamental para un centrocampista. Pero has de tener más oído o un ojo en el cogote.

—¿Por qué?

—Un centrocampista ha de oír las ondas de aire que salen del tío que le sigue, y cuando entretiene la pelota buscando a quién pasársela ha de tener un ojo en el cogote, porque ese tiempo permite que cualquiera se le eche encima. Eso se aprende con los años.

—Dice el *mister* que soy muy inteligente.

El muchacho le dedicaba una mirada abierta como un libro lleno de letras mayúsculas y Palacín se echó a reír.

—Seguro. Seguro. Eso se nota en seguida.

Biscuter, encerrado en su cocina; Charo, en uno de sus ataques de indignación y reclamo de atención; Bromuro, enfermo y acobardado. Carvalho tenía la familia descompuesta y decidió emplear algún tiempo en recomponerla. Reclamó la vuelta de Biscuter ante su presencia, y cuando salió de su cubil con el escaso cabello rubio y lacio de los parietales convertidos en cerdas erizadas y los ojos grandes pero caídos abiertos por la sorpresa, Carvalho tuvo la revelación de que por Biscuter no pasaba el tiempo, que era de todos los miembros de tan extraña familia el único casi igual a sí mismo desde que lo conociera, hacía casi treinta años, en la cárcel de Aridel. Seguía teniendo el mismo aspecto de feto rubio pero calvo abandonado por una madre horrorizada ante la fealdad de lo que había parido, y por mucho que mintiera a los calendarios, Carvalho tenía que confesarse a sí mismo que Biscuter ya tenía más de cincuenta años. El tiempo pasa según su ley y sólo puede ser burlada desde la mentira del cine o de las novelas. Pero allí estaba el tiempo, en sí mismo y en Biscuter y en Charo y en Bromuro, y en cada caso traicionaba a sus víctimas de diferente manera. A Charo macerándole un cuerpo que empezaba a ser algo fondón, a Bromuro pudriéndole por dentro, a Carvalho haciéndole cada vez más espectador pasivo del tiempo propio y ajeno. Pero de momento el tiempo no podía con Biscuter, tal vez porque le había vencido desde el momento de su nacimiento y ya había nacido tan horroroso como era ahora, como si el tiempo ya contara con él como víctima emplazada desde el momento en que salió del vientre de su madre.

—Hosti, jefe. Me alegro de que se haya dado cuenta de que existo.

Carvalho se puso de pie violentamente y pegó un puñetazo sobre la mesa.

—¿Tú también, Biscuter? ¿Estoy rodeado de depresivos y me he de pasar la vida recogiendo lágrimas y limpiando mocos?

—No es eso, jefe. Pero es que últimamente no me dice ni ahí te pudras. Le digo el otro día que estoy estudiando una *Enciclopedia Gastronómica* que me ha costado un ojo de la cara y ni me pide que se la enseñe. Ni me dice si está bueno lo que guiso, ni si hace esto o aquello. Yo siempre he sido su brazo derecho, jefe, y eso lo saben hasta en todas las tiendas del barrio. No es que quiera pasar factura, pero todos me comentan: qué suerte tiene tu jefe al contar con un ayudante como tú. Y no me pongo medallas, pero es verdad que he aprendido mucho a su lado.

—Vete a ver a Charo y le cuentas que Bromuro está enfermo y hay que llevarlo al médico. Y si te tira algo por la cabeza y te grita que se lo pida yo, le dices que estoy metido en un lío, que viajo mucho, que ya la llamaré.

—Yo no tengo ningún seguro, jefe. ¿Ha pensado usted en que no tengo ningún seguro? Si a usted un día le pasara algo, que Dios no lo quiera, ¿qué va a ser de Biscuter? ¿Al asilo?

Carvalho renegó con una violencia que amedrentó a Biscuter, lo suficiente como para salir del despacho a una prudente velocidad, aunque con la dignidad de todo aquel que ha dicho cuatro cosas bien dichas; le he dicho cuatro cosas bien dichas, se repetía Biscuter mientras bajaba la escalera y suponía que sus palabras no habían caído en saco roto. Carvalho estaba perplejo, estado de ánimo que le repugnaba especialmente, que consideraba un lujo del espíritu inadecuado para cualquier persona medianamente inteligente. No puedo estar perplejo. Al menos no puedo estar tan perplejo como estoy. Abrió un cajón de su mesa y sacó una botella de Knockando veinte años, el whisky para las perplejidades de fondo. Se sirvió tres dedos en un vaso largo y se los bebió en tres tragos lentos y densos. La triple carga y descarga de alcohol y suspiros le sentó bien y se disponía a reconquistar la calle y el buen tono cuando sonó el teléfono. Antes de que cuajara la primera palabra al otro lado de la línea, sólo por una vibración maligna ya dedujo que era Charo la que acusaba recibo de la visita de Biscuter.

—¿Está el excelentísimo señor José Carvalho? ¿Puede su señoría ponerse al teléfono y dignarse a que ésta su servidora le exprese lo que tiene que expresarle?

Carvalho se predispuso a quedarse con el fondo de aquel discurso sin tomar en consideración el tono de agravio. Que de acuerdo con acompañar a Bromuro a donde fuera necesario, porque Bromuro era una persona, no como otros, y más aún, una excelente persona, no como otros. Pero ¿a santo de qué le enviaba un mensajero? ¿Había olvidado su número de teléfono? Al menos su número de teléfono, y no le preguntaba si la había olvidado a ella o no porque le daba lo mismo, pero olvidar el número de teléfono y enviar a Biscuter era una simple prueba de mala educación.

—... y de mala folla, si he de hablar claro.

Hablaba claro.

—Te pasaré a buscar esta tarde.

—No necesito que me paseen como el perro. Sé ir a mear sola.

—Pues no te pasaré a buscar esta tarde.

De nuevo un monólogo para ser escuchado y que se resumía en un cada vez más lloroso ¿pero tú qué te has creído? Y silencios a la espera de una respuesta que Carvalho no sabía darle y la aceptación final del te pasaré a buscar esta tarde, en un tono de voz de persona que ya había descargado su angustia. Carvalho quedó a la espera del regreso de Biscuter, un prudente Biscuter en plena resaca del excesivo valor perdido y le explicó el caso Mortimer como si fuera indispensable que Biscuter estuviera al corriente. Le costó poco meterse en la piel del fiel Watson y aportar su agudeza en el análisis de la situación.

—Deben ser los árabes, jefe.

—¿Qué árabes?

—Los jeques árabes. Se llevan a todos los futbolistas

buenos a esas ciudades del desierto para hacer equipos invencibles a base de talonario. Acojonan a Mortimer y luego lo fichan. Por cierto, he escuchado casualmente parte de la conversación que usted ha tenido con Bromuro y he sacado mís propias conclusiones. No nos ha dicho nada que nosotros no supiéramos. Yo pensaba más o menos lo mismo y basta salir a estas calles para ver lo que pasa. Usted últimamente ha viajado demasiado, y entre viaje y viaje o allí arriba colgado en Vallvidrera, tal vez no se ha dado cuenta de cómo han cambiado las cosas por aquí abajo. Esto es el Oeste, jefe, el Oeste pero con más navajas que revólveres. ¿Se queda a cenar? Tengo arreglo para hacerle una *brandada de urade*.

—¿Y eso qué es, Biscuter?

—Una receta que saqué de la *Enciclopedia* de que le hablé y da la casualidad que me queda una rodaja de dorada cocida del otro día; en un momento le hago la brandada: el pescado sin espinas, ajo, aceite templado, nata montada, sal, pimienta, una gota de Tabasco y batipimer. Cinco minutos.

—Adelante.

Biscuter era tan feliz que desde la cocina banalizó la infelicidad de Charo.

—Está muy enfadada, jefe, pero se le pasará. Me ha dicho que no se come un rosco, que con esto del sida ya sólo le quedan los clientes de confianza y que se le van volviendo viejos. Hasta se le ha muerto uno. Un farmacéutico de Tarrasa. Estaba un poco triste por eso. Ya sabe lo cariñosa que es.

Carvalho compartió la *brandade d'Ourade* con Biscuter, acompañada de una botella de Milmanda de Torres que puso los ojos en blanco del fetillo, pues conocía que la presencia de la botella implicaba voluntad de excepción y de fiesta. Pero Carvalho comió de prisa porque sentía necesidad de salir a la calle y ver o hablar con gentes que no le contaran sus agravios o sus desgracias o sus premoniciones de agravios y desgracias. Pretextó el encuentro con Charo para dejar a Biscuter y la voluntad de callejear para comprobar sobre el terreno los cambios que Biscuter le había anunciado.

—Mucho ojo, jefe. Fíjese cómo están las cosas, que el otro día leí en un periódico que quieren tirar abajo medio barrio chino, Perecamps para arriba, hasta empalmar con los barrios altos, para que circule el aire. Esto empieza a oler a cementerio.

Carvalho salió a la calle molesto por la recomendación. Por mucho que hubiera viajado o por mucha distancia que hubiera desde Vallvidrera, ¿quién podía suponer que desconocía los límites del país de su infancia? ¿Quién podría escamotearle los puntos cardinales que mejor conocía? Tal vez la moda de suponer que todo había cambiado había llegado a las clases populares y Biscuter cantaba a destiempo el réquiem ya gastado por lo que había sido y no era o por lo que pudo haber sido y no fue. Callejeó reconociéndolo todo, pasando revista a las calles de toda su vida, de casi toda su vida, y todo estaba en su sitio. Hasta se metió en las librerías de viejo y tocó aquella cultura momificada recordando viejos tactos anhelantes de su etapa de drogadicto de la cultura. Pellizcó con los ojos un fragmento de un grueso y lujoso libro sobre Barcelona del que sobresalía una etiqueta con el escandaloso precio original corregido por la piedad reduccionista del viejo librero de viejo: «¿Será posible el mito del hombre libre en la ciudad libre? De momento Barcelona se humaniza en cada tramo que recupera o construye para el paseo del cuerpo, esa relación de espacio y tiempo que da sentido al no tener nada que hacer, ni que temer, ni que esperar, es decir, a lo que podríamos llamar *desideratum* beatífico. A este pueblo al que le gustan tanto las cosas gratuitas y al que uno de sus filósofos le prometió que un día lo tendría todo pagado, en cualquier parte, por el simple hecho de ser catalanes, le entusiasma buscar caracoles, coger setas, beber en las fuentes públicas y pasear por su ciudad sin pagar nada. Tiene una relación maternofilial con su ciudad: la saben mujer y se sienten hijos de la puta y de la Ramoneta, de la Venus de Bronce y de la Pepita del paraguas, la señora Josefina, de Reus, por más señas. Algunos de sus filósofos, en el pasado, trataron de convencerles de que era una ciudad de mármol o una ciudad estado o una ciudad país... sin conseguirlo. La gente sabe que esta ciudad es una patria que cada cual posee mediante la hegemonía de la propia memoria. Muchos nacieron aquí. Otros vinieron de lejos. Pero esa memoria posesiva comenzó aquel día en que, como los antiguos caldeos, comprendieron que en lo esencial el mundo terminaba en las colinas que alcanzaban a ver los propios ojos.» Podía estar de acuerdo o en desacuerdo con el texto, pero no se molestó en decidirlo. Frustró la expectativa de compra del vendedor saliendo de la tienda ya decididamente en busca de Charo y cuando llegó a su puerta la llamó por el interfono. Dos minutos después salió Charo en estampida y se le echó encima como una vaharada de esencia de rosa y carne caliente. Era un abrazo de estación de tren, un abrazo de esposa de repatriado, y Carvalho se dejó abrazar y besar, al tiempo que daba golpecitos en la espalda de la mujer porque no sabía qué hacer ni con las manos ni con el remordimiento. Luego Charo facilitaría las cosas porque estaba alegre y habladora y Carvalho quiso que la fiesta fuera total. Cine y Vallvidrera, en el caso de que aquella noche no tuviera clientes.

—¿Clientes? Pero no sabes qué has dicho. Estoy más en crisis que la industria siderúrgica esa del Norte, de esos pobres que los tienen tan puteados. Ésa es otra, Pepe, que esto del sida ha hecho mucho daño y aunque tengo algunos fijos de toda la vida, con eso no tiro, que no tiro, y no te lo digo para quejarme, pero es que he de tomar una decisión. Quería hablarte.

Lo conseguiría aunque Carvalho no quería escuchar según qué cosas. Quería hablarle pero no lo hizo hasta que salieron del cine tras ver una película donde la gente se droga con gazpacho y una chica pierde la virginidad soñando, con unos conspiradores chiitas de fondo que le complican la vida a una modelo con ojos de garza y candor de flan chino. Luego mientras subían a Vallvidrera insinuó que quería hablarle, que había algo que debía saber. Pero hicieron la cena y el amor, con todas las sabidurías de Charo y toda la capacidad de Carvalho para recurrir al recuerdo de otro cuerpo cuyo rostro no podía precisar, aunque finalmente fue el rostro de Charo, de una Charo más joven. Y en el relax del cigarrillo de ella y del Cerdán Churchill de él, cara al techo y protegidos con una manta del excesivo frescor octubrino de Vallvidrera, Charo por fin habló. Un viejo cliente le proponía montarle un negocio. Una cosa sencilla. Una pensión.

—¿Qué te parece a ti una pensión, Pepe? Piensa que

no tengo donde caerme muerta. Cuatro ahorros que me estoy comiendo. ¿Qué te parece una pensión?

Cuando Charo estaba deprimida siempre aparecía un cliente que le proponía montarle un negocio. Y Carvalho debía saberlo. Y aconsejarla. Carvalho cerró los ojos para no ver la cara que Charo había vuelto hacia él cuando contestó:

—No es mala idea.

La calle Perecamps sería continuada y cortaría las carnes de la Ciudad Vieja en busca del Ensanche, abriéndose camino a través de las carnes vencidas y los esqueletos calcificados de las arquitecturas más miserables de la ciudad. Un gigantesco bulldozer con cabeza de insecto de pesadilla convertiría la arqueología de la miseria en definitiva arqueología de libro, pero aunque se derrumbaran las casas y los viejos, los drogadictos, los camellos, las putas pobres, los negros, los moros tuvieran que escapar empujados por la pala mecánica, a algún lugar llevarían su miseria, tal vez al extrarradio, donde la ciudad pierde su nombre y ya no se hace responsable de sus desastres. Una ciudad sin nombre no se enseña, no sale en las postales y sólo merece la piedad de las primeras páginas cuando su complejo de autodestrucción supera los límites de lo tolerable por la sociedad permisiva y se mata, se viola o se suicida con la desmedida que sólo utilizan los desesperados y los locos. Calles de viejos con bolsas casi vacías, siempre entre dos compras escasas y dos olvidos imperfectos: qué han hecho en esta vida y qué día es hoy. Una nueva generación de putas varicosas censadas por una computadora de la quinta generación, alimentadas como sus madres con bocadillos de atún y una tapita de calamar flotante en un fumet híbrido con la única concesión de modernidad del frankfurt con catsup diríase que ingerido por vía intravenosa. Junto a la puta monumental erosionada por los años y los relentes exteriores e interiores, la putilla oscura de jeringuilla y ojos derivantes como los de los marinos borrachos en un mar sin salida. También dos clases de chulos, el de siempre, semental paquidermo con el culo y pecho salidos, y el posmoderno, aterido por sus drogradicciones y con los dedos y los ojos húmedos como cuchillos resbaladizos e histéricos sobre un universo de hostilidades deliradas. Comerciantes mal iluminados y con la navaja en el cuello. Jóvenes virtuosos sin trabajo que transitan de prisa por sus propias calles prohibidas, y sus madres, exiliadas interiores en unos barrios a los que han aportado geranios en los balcones desde hace cinco o seis generaciones y el contraste de la pobreza honrada. Familias de topos magrebíes y gacelas negras del África profunda, habitantes de pisos abandonados por fugitivos de la ciudad leprosa y con retretes sin agua corriente. Cadáveres presuntos en pisos precintados desde dentro, de viejos abandonados por la memoria y el deseo propio y ajeno. Niños perdidos sin collar que pelotean en las plazas, duras o blandas, incluso a las puertas de antiguas iglesias, tan antiguas que son románicas y permanecen a medio desenterrar con una reciente historia de estancos o de cuchillerías artesanales. Mierda de perro, perros de mierda tan deslucidos y miedosos como sus lazarillos: mujeres maduras o niños maduros, las unas y los otros con aspecto de obligados a pasear el perro para pasearse a sí mismos contra la naturaleza de calles estrechas y con aceras usureras. Y sin embargo algo parecido a la belleza de la miseria se ha grabado en el rostro de las casas construidas en un antes y un poco después del *Manifiesto comunista*, desconociéndolo, porque esta ciudad ya vieja se hizo o se rehízo más acá o más allá de las murallas medievales derrumbadas a mediados del xix. Y no es erudición propia la que excita la memoria visual de Carvalho cuando después de dejar a Charo en la peluquería orienta su coche hacia el parking del sur de las Ramblas, sino al debate radiofónico sobre los problemas de «La violencia en la ciudad» en el que intervienen un novelista ex novísimo y un jesuita comunista, el primero utilizando como padre espiritual, de un collage de variados y opuestos padres espirituales, a un tal Georges Simmel, y el segundo a Cristo y Carlos Marx. Según Simmel, dado que en las ciudades no hay posibilidad de descarga de agresividad que no comporte un gran peligro, por el amontonamiento y la complejidad tecnológica del medio, se hace imprescindible la canalización de esa violencia. Una de las más habituales es la que los etólogos conocen como agresión sobre un objeto sustitutivo.

«—Imaginémonos —dice el novelista— que un conejo aterrorizado decide matar al zorro que le hace la vida imposible, pero no puede porque el zorro es más fuerte que él, entonces se libera de esa pulsión de agresividad dando una patada a un ratoncillo. Hay una larga tradición urbana de chivos expiatorios: las persecuciones y agresiones contra judíos, negros, árabes, gitanos, sudacas o *xarnegos* permiten que los frustrados y agresivos ciudadanos empiecen a repartir golpes contra minorías débiles y sin respuesta. Otra variante eficaz del objeto sustitutivo es el deporte. La ritualización de los actos agresivos y el autocontrol permiten el simulacro de una lucha, de una agresión entre deportistas, en la que el público participa y una nueva generación no se contenta con la violencia simulada, sino que la materializa en las gradas o fuera del campo, irritados porque han comercializado su válvula de escape.

»—¿Usted cree, señor Félix de Azúa, que si el fútbol fuera gratis desaparecería la violencia actual de los hinchas?

»—Lo más probable.

»—¿En su catálogo de agresiones sustitutivas, hay alguna más?

»—Sí. El nacionalismo. El entusiasmo patriótico por vía negativa que necesita la existencia de un enemigo exterior. Y también los muertos de tráfico, los muertos de autopista. Las sociedades industriales admiten el coste de muertos por la utilización del automóvil, pero no el de los muertos atribuidos a la locura política, religiosa o sexual. Hay muertes permitidas y muertes prohibidas. La cultura urbana genera un escenario para la violencia regida por leyes que distinguen entre violencia buena y violencia mala.

»—¿Está usted de acuerdo, señor García Nieto?»

El jesuita comunista está de acuerdo en la teoría del escenario y de la doble verdad, pero la causa de la violencia es el desorden, el desorden entre los valores mitificados de la riqueza y la impotencia de la mayoría para alcanzarlos, impotencia cada vez más ancha y profunda.

«—Un treinta por ciento de la sociedad española vive

en condiciones de pobreza; ¿cómo no va a ser violenta?

»—Y cada vez va menos al fútbol —sentencia filosóficamente el locutor.»

Y Carvalho apaga la radio y el coche. Entre subir a su despacho y comprobar una vez más a pie lo que había reconstruido con la imaginación y la ayuda del debate radiofónico, optó por lo segundo y se metió por Arco del Teatro en busca de la futura senda de los bulldozers, zigzagueando por callejas entristecidas por la noticia y despidiéndose de edificios ennoblecidos súbitamente por su condena a muerte, porque hasta el estrangulador de Boston inspiraba compasión y adquiría dignidad en las horas precedentes a su ajusticiamiento. San Olegario arriba, desembocó en la calle de San Rafael; a la izquierda, casa Leopoldo, preparando su quehacer de restaurante honesto; enfrente, el pasaje de Martorell, y a la derecha, el acceso hacia la calle de Robadors con sus ahora dormidos bares de prostitución barata, alguna pensión como la que glosaba a una tal Conchi, dotada de un rótulo luminoso que reservaba sus eléctricas energías para el anochecer. Todos los bares permanecían cerrados o a medio abrir, menos uno que reproducía un ambiente tropical de país tercermundista definitivamente arruinado por la deuda externa. Tres putas viejas madrugadoras contemplaban con filosofía su café con leche y con poco esperanzada lascivia el único hombre que estaba en el local. Carvalho fue hacia la barra y pidió un carajillo, sintiendo al instante un calor humano próximo, cernido sobre su hombro derecho. Se volvió y ante su vista apareció una muchacha tan venida a menos que parecía un recuerdo de sí misma, con la piel de la cara gris y pegada a unos huesos bien distribuidos pero inmisericordes en su premonición de calavera. Sobre la frente, un costrón de golpe, y uno de los ojos de luto riguroso.

—Caballero, ¿a estas horas del amanecer no le apetecería pegar conmigo un polvo literario?

—¿De qué tipo de literatura?

—¿Tipo o género?

—Me da lo mismo.

—Podríamos pegar un polvo de poema de Baudelaire.

—La poesía no me la levanta.

—Lo que no pudiera hacer la poesía ya lo haría yo.

—¿De qué facultad has salido?

—De la de Ciencias de la Felación. ¿Sabe usted lo que es la felación?

—Hace tanto tiempo que dejé los estudios...

—La mamada.

—La mamada —consideró Carvalho para sí mismo, como si tratara de encontrar el plural significado de una palabra misteriosa.

—A estas horas lo hago barato. Luego subo el precio.

—Eres mala comerciante. A estas horas deberías cobrar más caro. Tienes menos competencia.

Tenía mala leche la intelectual, porque se encabritó para decirle:

—No te quedes conmigo. ¿Te va o no te va?

Dirigía miradas intermitentes a un rincón del bar donde los ojos de Carvalho acabaron por descubrir a un jovenzuelo con coleta que les miraba con los ojos turbios.

—¿Es tu chulo?

—Es mi padre. ¿Qué has venido a buscar aquí?

—Un carajillo.

—¿Quieres nieve?

—¿Tienes nieve?

—No. Pero sé quién te la puede dar.

—Y así también te la dará a ti. No eres ni siquiera un camello. ¿Tan mal estás?

—Estoy como me sale del coño.

—Una puta profesional jamás me hubiera dicho una grosería así.

—¿Qué sabes tú de putas?

—Mi novia es puta.

—Tu novia lo que será es un pendón.

E hizo un mutis mareado, porque sus piernas delgadas no le permitieron dar el giro con el aplomo requerido por los mejores mutis. Se metió en las sombras internas del local para sentarse junto al muchacho. Desde entonces dos pares de ojos indignados no abandonaron la espalda de Carvalho hasta que terminó su carajillo y les dio la cara y una mirada de amenaza suficiente como para que los dos jóvenes fingieran otear otro horizonte.

Dorothy llegó con seis maletas y una tía que la había criado como una madre. La tía bebía whisky irlandés de una petaca de plata y aseguraba que sólo permanecería en Barcelona el tiempo suficiente para asegurarse que su sobrina estaba bien instalada y que en la ciudad hay buenos especialistas para las enfermedades hepáticas. Desde la pubertad, Dorothy tiene el hígado delicado, lo que no le ha impedido ser una buena deportista y la *vedette* de rock de las pandillas del Soho hasta que conoció a Jack y sentó la cabeza y el culo.

—Así hablaba Zaratustra —terminó Camps O'Shea el parte de llegada de Dorothy a un Carvalho que no se lo había pedido—. ¿Conoce usted a Sara Fergusson, una de las nueras de la reina de Inglaterra?

—No tengo el gusto.

—La habrá visto en los diarios o en las revistas. Bueno. Olvidaba que usted no necesita diarios.

—Recuerdo vagamente a la dama.

—Pues Dorothy es como la Fergusson en menos macizo. A mí, particularmente, la Fergusson siempre me ha parecido algo grasienta.

La palabra grasienta en boca del pulcro Camps era un grave insulto.

—Y en cuanto a la tía, esperemos que se vaya pronto porque se mete en todo y hasta quería ver el vestuario de los jugadores donde se desviste Jack. Le han dicho que en España el virus del sida es como los toros, por el tamaño y porque campa libre por los campos y los vestuarios. Hablando de vestuarios, hemos contratado un servicio de seguridad en todas las entradas del campo, con el pretexto de que en el pasado ha habido algún robo y de que así aumenta la seguridad de los jugadores en general. ¿Usted ha avanzado algo?

—No. Y sí. La verdad es que estoy desconcertado. Yo sabía leer en los ojos de los chorizos españoles, pero me cuesta leer en los ojos de los chorizos de importación. El lenguaje de los ojos no es universal. Me he dado cuenta.

—¿Qué quiere decir?

—Mis contactos me han llevado a mafias no indígenas y de la conversación he deducido que no saben nada de lo que quisiéramos que supieran, pero algo saben que no quieren que sepamos.

—¿No es lo mismo una cosa que otra?

—No.

Camps le ha citado en las puertas del estadio de Montjuïc y pasean como una pareja de curiosos ante las obras de reconstrucción: mantener el perímetro de fachada y hacerlo completamente nuevo por dentro. Es un servicio a la memoria, la servidumbre a la memoria visual, comenta Camps sin entusiasmo.

—No es que yo sea un bárbaro partidario de que incendien los museos y destruyan de una vez el Partenón. Pero no hay que pasarse en lo de conservar el patrimonio. Si la humanidad se hubiera empeñado en conservar el patrimonio no habría pasado de la selva habitada por los bosquimanos o de la cabaña lacustre. ¿A usted este estadio le parece notable?

—No sabría pasear por Montjuïc sin esperar encontrármelo.

—Imagine usted esto setenta años atrás, la sorpresa que se habría podido llevar algún viandante al encontrárselo. Yo espero con más atención los nuevos edificios. Barcelona se convertirá en un muestrario arquitectónico de validez universal. Lo nuevo siempre es menos necio por principios, aunque a veces lo nuevo nazca viejo, incluso muerto. Este año en Francia visité una central nuclear que jamás entró en funcionamiento. Era estremecedor, tanto o más que pasear por las ruinas más sobrecogedoras del mundo. Palenque. Pompeya. Machu Picchu. Spoleto. ¿Ha estado usted alguna vez en Spoleto? Es una ciudad adriática construida a partir de un templo de Diocleciano, como si conservara esa razón de ser original, como si creciera bajo las faldas del templo de Diocleciano. Genial. Tenga.

No parecía especialmente afectado y sin embargo en el papel que tendía a Carvalho aparecía un nuevo redactado anónimo e igualmente amenazante y paralelístico:

«Los delanteros centro tienen la cabeza de piedra y el cuerpo de coral rosa, por eso se rompen cuando rematan contra los acantilados.

»A su sombra crecéis los inválidos que jamás posaréis para un retrato épico y en la destrucción del delantero centro renacéis, sobre sus cadáveres crece vuestra estatura de vencidos biológicos.

»Por todo ello os merecéis que el delantero centro sea asesinado, al atardecer desde luego. Y si me preguntáis por qué el delantero centro debe ser asesinado al atardecer, os diré que ha de ser antes de que llegue la noche y me quede a solas, en la casa de los muertos que sólo yo recuerdo.»

—Me gusta menos.

—Pues incluye una cita poética de prestigio. La ha adivinado el mismísimo Basté de Linyola. Fíjese en las últimas frases y compárelas con este fragmento de un poema de Espriu.

Era otro papel y esta vez estaba manuscrito, quizá por el propio Camps.

> *Potser demà vindran*
> *encara lentes hores*
> *de claror per als ulls*
> *d'aquest esguard tan àvid.*
>
> *Però ara és la nit*
> *i he quedat solitari*
> *a la casa dels morts*
> *que només jo recordo* (1).

—¿Entiende el catalán?

—Lo suficiente.

—El asesino tiene buen gusto. ¿Quiere conocer a Dorothy?

—No. Pero quisiera hablar con usted tranquilamente. Le invito a cenar un día a mi casa. Vivo en Vallvidrera. Nos acompañará un amigo gestor que colecciona autógrafos de jefes de relaciones públicas de equipos de fútbol de prestigio. Cocinaré yo y así podrá sorprenderse ante mis conocimientos prácticos, ya que el otro día le vi algo sorprendido por mis conocimientos teóricos.

—Me honra con su invitación.

Estaba sinceramente honrado.

---

(1) Tal vez mañana llegarán / todavía lentas horas / de claridad para los ojos / de esta mirada tan ávida. // Pero ahora es de noche / y he quedado solitario / en la casa de los muertos / que sólo yo recuerdo.

—Puede venir acompañado.

—No suelo ir acompañado a este tipo de encuentros de desvelamiento. No siempre es conveniente ir acompañado. ¿Por qué el amigo gestor?

—Es un buen inductor de conversación y no tiene mis vicios de encuestador. Me paso la vida haciendo encuestas.

—Ya me había fijado. Yo traigo otra cita que quizá no sea tan de nuestro agrado. El comisario Contreras quiere dialogar con nosotros. Con nosotros dos.

—Hombre, Contreras.

—¿Se conocen?

—Hace años. Es mi enemigo preferido. Más vale enemigo conocido que enemigo por conocer. Con el tiempo se ha ido sofisticando. Empezó siendo un policía español de película española de poco presupuesto de los años cincuenta. Luego parecía un policía de cine negro norteamericano. Últimamente le vi con más registros. No sé qué influencias habrá asimilado, porque yo no voy al cine desde antes de la crisis del petróleo, pero no es el mismo Contreras. ¿Cuándo nos espera?

—Cuando queramos.

—¿Por qué no ahora?

Llegaron cada cual en su coche. Carvalho en un Renault 11, del que aún estaba pagando los plazos, y Camps en un Alfetta. Pero convinieron entrar juntos en la Jefatura Superior de Policía de la vía Layetana y Contreras arqueó una ceja amable para Camps y una ceja displicente para Carvalho.

—Este tipo de parásitos existirán mientras encuentren a paganos como ustedes que les paguen las minutas. Pero por primera vez está usted dentro de la ley, Carvalho. No hay muerto. Un detective privado puede investigar una amenaza. Pero se lo recuerdo, en cuanto haya una gota de sangre y le vea a usted en medio, le pringo. ¿Por qué no se jubila?

—Soy un manirroto. No he ahorrado lo suficiente para la vejez.

—¿No cotiza usted a autónomos?

—No.

—Insensato. Un detective viejo no es un detective, es sólo un viejo. Se lo digo yo que tengo un Estado detrás y usted en cambio resulta que no tiene donde caerse muerto.

—No he venido a hablar de la seguridad social.

—Dígame, ¿qué opina del segundo anónimo? ¿La leche, no? Sólo faltaba que se metieran en la delincuencia poetas anónimos. Antes tal vez había menos cultura, pero más sinceridad. Nunca se habían visto chorradas de este tipo. Añoro aquellos tiempos en que los anónimos tenían faltas de ortografía y empezaban como las cartas de antes de la guerra: espero que al recibo de esta carta estéis bien, yo, gracias a Dios, también.

Camps lanzó una carcajada inadecuada y la repitió. Tan inadecuada que hasta a Carvalho le pareció una falta de respeto y un desliz histérico. Camps adivinó lo que pensaba Carvalho y volvió a reírse, ya sin contención, hasta las lágrimas.

—No sabe lo que me gusta ser tan gracioso.

En los ojos de Contreras brillaban los grilletes que le hubiera gustado poner en los tobillos del impertinente. Le costó a Camps recuperar la compostura.

—Comisario, es usted genial.

Tampoco le gustó aquel comentario a Carvalho. A un comisario nunca se le puede considerar genial, pero tampoco se le puede decir con la sinceridad de fondo con que lo había calificado Camps. Indicaba una neutralidad ante la policía que ningún ciudadano equilibrado debería tener. Se puede ser amante de la policía cuando se es un enfermo de autoritarismo, o un enemigo de la policía cuando se es un ciudadano alertado, pero contemplar a un policía como una figura del espectáculo sólo es posible en tiempos ambiguos y en los que las gentes han perdido la jerarquía de valores. Contreras estaba dispuesto a recuperar la lógica de la situación y fue al grano.

—Yo les digo que ya sé qué hay detrás de todo esto.

Consiguió la expectante sorpresa de sus dos convocados.

—Detrás de todo esto hay un delincuente polisémico.

—Aunque uno de ustedes dos se sorprenda y yo ya me sé quién va a sorprenderse, la policía trabaja con métodos nuevos. Había un punto de partida claro. Releían el primer anónimo y mucho más el segundo. ¿Qué destaca? ¿El anuncio de un asesinato? No. ¿Que el destinatario del dolo, y perdonen el tecnicismo, sea un delantero centro, figura de asesinado atípica, a todas luces? Puede ser, pero no tanto, porque si se ha asesinado a boxeadores, a todo puerco le llega su San Martín, y lo digo sin animosidad alguna a la digna profesión de futbolista y muy especialmente a la especialidad de delantero centro, que con la de defensa central es, sin duda, la más loable y esforzada especialidad del futbolismo. Exprímanse el magín, señores. ¿Qué destaca? La forma. La forma de estar redactado el anónimo. Usted se ha reído mucho cuando yo he comparado esta forma con la de los anónimos tradicionales y no me he enfadado, porque comprendo que la comparación es en sí misma estrambótica, descojonante, vamos. Pero es cierta. El autor del anónimo quiere hacer pinitos literarios. Está creando una atmósfera, como cuando en las películas o las obras de teatro se va metiendo poquito a poquito al público en situación y de pronto, ¡zas!, se provoca el golpe de efecto. Los anónimos están escritos en Letraset, un tipo de letra que emplean los grafistas y eso nos obligaría a investigar a todos los grafistas de Barcelona, la ciudad de industria editorial por excelencia y por lo tanto podríamos pasarnos media vida. Pero hay algo que nos pone en la pista de alguien que sabe escribir y que quiere demostrar que sabe escribir, y como dice el inspector Lifante, un chico que vale mucho y que ha estado metido en la movida madrileña, alguien que prefabrica una expectación literaria, repito, una expectación literaria en torno de un hecho criminal aún no existente, pero que de existir provocaría una auténtica conmoción de masas. Repito. Conmoción de masas. Le asesinan a usted, Carvalho, y no se entera ni Dios. Me asesinan a mí y se enteran algunos más. Pero es que nos asesinan a un delantero centro y es que se enteran hasta en Karachi. Aíslen los elementos que les he dado: delantero centro, ídolo de masas, expectación literaria, conmoción social sin límites... Un escritor loco. Bien. Acepto la hipótesis. Pero repasen las estadísticas. ¿Cuántos escritores locos han asesinado previo anuncio del crimen, en la vida real, me refiero? No. Esto huele a precampaña publicitaria. Parece el anuncio por entregas de un estreno cinematográfico, incluso me imagino el título de la película: *El delantero centro será asesinado al atardecer.* La hostia. Y ustedes perdonen. La campaña publicitaria está hecha. Pero hagan ustedes un análisis de contenido de los anónimos. Mejor será que pase el inspector Lifante que es el que sabe de análisis de contenidos.

Pulsó la tecla del interfono y gritó como si el interfono estuviera estropeado o fuera esencialmente sordo.

—¡Que venga Lifante!

Y entró Lifante. Parecía un modelo de Adolfo Domínguez, con una americana en la que cabían dos Lifantes y en el pelo con toda la producción de gomina de una amplia zona, difícil de determinar, del hemisferio occidental.

—Lifante, haga usted delante de estos caballeros el análisis ese de contenido que me ha hecho antes a mí.

—¿Conocen ustedes los estudios de la escuela de Moles sobre análisis de contenido? ¿El trabajo divulgador de Kientz publicado en España?

Esto no es un policía, refunfuñó mentalmente Carvalho. Maldijo una organización de la cultura o una civilización que ya disponía de intelectuales de la represión. Igual se ha graduado en la Facultad de Ciencias de la Represión. Pero el continente del inspector Lifante acabó ganándole. En el inspector Lifante el medio era el mensaje y el delito era para él un enigma basado en una comunicación interrumpida por un ruido. Esperó a que los demás le preguntaran de qué ruido se trataba, pero los demás estaban instalados en el desconcierto.

—En todo mensaje hay un emisor y un receptor, a través de un canal. Pero a veces esa transmisión se interrumpe por un ruido. Pues bien, el delito es un ruido no total. Es un ruido transitorio que deja desviado el mensaje. Aquí nos anuncian una muerte. Nos la quieren comunicar, insisto en la palabra, comunicar. Remontándonos por ese canal podemos llegar al comunicador, al emisor, es decir, al presunto criminal, al que puede llegar a ser un criminal.

Contreras les guiñó el ojo y dijo:

—Ojo al parche.

—No hay que confundir el análisis del contenido

con un análisis ideológico, aunque evidentemente puede ayudar a establecer un retrato ideológico del emisor. Yo más bien me inclino, relacionando el análisis de contenido con la psicolingüística, en un método que yo he construido a mi manera, a ir a por la psicología a delimitar el tipo psicológico del que emite, y si tenemos ese tipo psicológico en seguida daremos con el sociológico, y entre el sociológico y el psicológico podremos llegar a un retrato robot de su alma. Ahí está el mal. Y esa alma tiene una cara.

—Y un carnet de identidad —apoyó Carvalho.

El inspector emitió una breve risita.

—Me está mal decirlo, porque soy un policía, pero lo que menos me interesa es lo del carnet de identidad.

—Hombre, Lifante, no me joda.

—Es un suponer, jefe, un suponer. Ya sé que hay que detenerle y eso pasa o bien por cogerle con las manos en la masa o bien por el carnet de identidad. Pero en mi expectativa científica lo que interesa es delimitar un tipo psicosocial.

—Al grano, Lifante, al grano. Díganos cómo se hace ese análisis.

—Pues hay que coger los textos y aislar los ítems, los elementos semánticos fundamentales, y a partir de las reiteraciones ir desvelando las obsesiones del interfecto. Lo que ocurre es que estamos ante un mensaje evidentemente polisémico.

—¿Polinésico? —preguntó Carvalho.

—No. Polisémico. Moles lo ha estudiado muy bien y nos ha dicho...

—¿A quién se lo ha dicho?

—No interrumpa a Lifante, Carvalho.

—He empleado el *nos* de un receptor plural, los lectores de Moles. Pues bien, Moles nos ha dicho que los mensajes tienden a dividirse en dos: los que tienen un contenido preferentemente semántico y los que tienen un contenido preferentemente estético. Es decir, los que atienden a primar la significación, la comunicabilidad y los que introducen la polisemia, una cierta libertad de lectura. Por ejemplo: «Mamá, me duele la tripa» es un mensaje preferentemente semántico, y en cambio «De mis soledades voy, de mis soledades vengo» es un mensaje estético. Aquí verán la complicación. Los mensajes del emisor anónimo son semánticos y estéticos, complicadamente polisémicos. Nos dicen: voy a matar a un delantero centro, pero el cómo lo dice nos complica el desvelamiento porque lo hace mediante un merodeo estético. Retengan esta locución: merodeo estético. Eso dificulta aislar los ítems y relacionarlos.

—Vaya a por los ítems, Lifante.

Todos quedaron a la espera de que Lifante fuera de una vez a por los ítems. El joven inspector puso sobre la mesa los dos anónimos y los mostró con una mano abierta.

—Aquí tienen los dos mensajes. He procurado aislar ítems relacionables, y ¿cuál ha sido el resultado?

Las miradas le pedían los resultados.

—El resultado es que todavía es imposible establecer resultados.

—Pues sí.

Contreras se removió inquieto y algo indignado.

—Pero que no haya resultados todavía comunicables no impide que podamos llegar a una conclusión sumamente esclarecedora. Estamos ante una personalidad polisémica. El mensaje polisémico conduce a una personalidad polisémica, escindida entre la comunicación y la fascinación por embellecer esa comunicación. Si yo fuera crítico literario, que todavía no lo soy, pero espero serlo algún día...

—Escribe artículos en la revista de la policía —le respaldó Contreras guiñándoles el ojo.

—Si yo fuera un crítico literario diría que este hombre incurre en una trampa muy común a los escritores que tratan de dar gato por liebre, que tratan de dar periodismo por literatura, comunicación por conocimiento desde la palabra, desde la polisemia de la palabra. Es decir, para lo que él está dotado es para decirnos: voy a matar al delantero centro, y con eso cumpliría. Pero como quiere pasar por literato, arropa un mensaje que desnudo no tendría ningún valor con un camuflaje literario, exactamente eso, camuflaje literario.

—Yo no estoy de acuerdo con este diagnóstico —cabeceó dubitativo Camps O'Shea.

Lifante se encogió de hombros y volvió a emitir una

risita sorbedora de la saliva que se le había acumulado en la boca.

—Es usted muy libre. Pero yo soy muy riguroso en mis análisis. O se hace periodismo o se hace literatura. No las dos cosas a la vez. El resultado ha de ser entonces un híbrido, como este mensaje.

Había algo de desafiante en la propuesta de Camps:

—A ver. ¿Cómo hubiera resuelto usted este mensaje sin reunir lo comunicativo con lo literario?

—Ahí está una de las claves. El mensaje periodístico puro ya lo sabemos: voy a matar al delantero centro.

—*Stop* —dijo Carvalho, pero no consiguió cortar el hilo a Lifante.

—Y ya bastaría. Sería un mensaje funcional y sincero. Encomiable. Si fuera un literato de verdad hubiera escrito, por ejemplo: delantero quebrado la tarde vencida, los dioses usurpados reclaman venganza.

Camps parecía memorizar la frase y estudiarla y finalmente adujo:

—No está mal, pero quizá habría que trabajar algo más el ritmo.

—A ver. ¿Cómo la dejaría usted?

Contreras y Carvalho no pudieron evitar mirarse con una cierta molesta solidaridad de convidados de piedra.

—Quedaría mejor así:

> *Vencida la tarde dioses usurpados*
> *en el centro del mundo el que debe morir.*

—Reconozco que lo polisémico está mejorado, pero no el ritmo.

—Me interesa más la pluralidad de significados que el ritmo.

—El ritmo es un elemento lingüístico más; de hecho traduce una manera de respirar.

—Hay mucho que hablar sobre la relación entre ritmo, o en definitiva sintaxis, y sistema respiratorio.

—¡Pero, bueno!

Contreras se había puesto en pie y casi dio un puñetazo sobre la mesa, pero dejó caer la mano muerta y buscó una sonrisa entre los pliegues de su indignación.

—Muy interesante, señores, pero ni a usted ni a mí, Lifante, nos pagan para hacer poesía.

Lifante volvía a reír sorbiéndose la saliva.

—Si tiene alguna conclusión que ofrecernos, adelante, y si no, pues se va con Bolaños a hacer la ronda del Guinardó, que bueno está aquello.

—En cierto sentido, sí tengo una conclusión. Primero, ya sabemos que es un polisémico enmascarador, por lo tanto debe ser un escritor frustrado y en cuanto envíe más anónimos incurrirá en más reiteraciones de ítems significativos. Hay que esperarle y él solito se meterá en nuestra maquinaria analítica.

—Váyase al Guinardó, Lifante.

Una vez desaparecido el joven inspector, el silencio tradujo diferentes perplejidades. La de Contreras, absolutamente mareado por las palabras. La de Camps, con la cabeza llena de ritmos alternativos. La de Carvalho, tratando de relacionar lo que había oído y lo que estaba viviendo con cualquier situación profesional parecida. No. No existía, y eso le desconcertaba. De hecho todas las situaciones profesionales se habían parecido y ésta en cambio le había resultado molestamente polisémica.

—Contreras, mal veo la seguridad de esta ciudad en manos de estos jóvenes inspectores polinesios.

—Me callo, por respeto al señor Camps, y me limito a decir que es usted un ignorante y un incordiante. Si metemos el caso en manos de un tarugo rutinario, usted habría dicho, claro, son como piedras berroqueñas. Y como tratamos de incorporar nuevos procedimientos, usted me sale con el desprecio del ignorante. ¿Quién dijo aquello de que hay gente que desprecia cuanto ignora?

—Harpo Marx, creo.

Camps O'Shea se ensimismaba por momentos. Carvalho tuvo que repetir su nombre varias veces para devolverle a la realidad y a la necesidad de marcharse.

La mujer tiene el cabello teñido color paja, ojos grandes, tristes, marrones, melosos, hepáticos, y una boca de beso húmedo pero casto, una flor carnal en un cuerpo educado por la gimnasia, el ballet, el masaje y una vida regulada de señora alto *standing*, independiente merced a un negocio para «Beautiful People. Estética», que empezó financiándole el marido para que se entretuviera y que se ha convertido en un imperio en expansión por la manzana de un barrio lo suficientemente pulcro y semirrico como para aún permitir expansiones. Entran y salen mujeres entre dos compras o entre dos embotellamientos de coches para llevar y traer a sus hijos de colegios situados en el cinturón vegetal de la ciudad antes de encaramarse por las laderas del Tibidabo, y Alberto Palacín merece miradas no todas de reojos, hasta que la mujer lo saca de la jaula del *hall* para meterlo en un despacho con la mesa ocupada por fotografías del marido y de los hijos y las paredes por títulos lúdicos de experta en toda clase de ciencias del cuerpo.

—Qué pena, qué pena. Inma y yo éramos muy amigas. Era algo más que una cliente, e incluso sustituyó a una profesora de ballet una temporada. Tenía un cuerpo magnífico. Quien tuvo retuvo y aún la llamaban de vez en cuando para un pase de modelos o para hacer de azafata en algún congreso. No. No me dejó señas. Se fue de la noche al día, aunque se veía venir. No quisiera ser indiscreta, ¿es usted un familiar?

—Su primer marido.

—Qué pena. Por tres semanas no la ha pillado.

—No avisé de que volvía a Barcelona. La verdad es que no me decidí hasta agosto. Ya sabe lo que pasa entre parejas separadas. Yo mandaba todos los meses la pensión del chico a una cuenta bancaria. La sigo mandando.

—Tal vez en el banco pueden decirle adónde se ha trasladado.

—Los bancos son muy reservados.

—Pero ella bien ha de seguir cobrando.

—Sí. Es verdad.

—Qué pena, no poder ayudarle.

—¿Sabe usted cómo les iba?

—¿A quién?

—Al chico y a ella.

—Bien. Muy bien. Creo que tenían alguna dificultad económica porque al marido, bueno, al nuevo marido no le iban bien las cosas. Había cerrado el negocio en el que trabajaba y estaba siempre de aquí para allá como vendedor, a comisión, a veces bien y otras no tanto. Creo que se marcharon por eso.

—Pero el chico, el cambio de colegio...

—Supongo que aprovecharon eso, el cambio de curso, pero no me dijo adónde iba. ¿Conoce usted su actual marido?

—Sí. Sí. Gracias por su interés.

—Es una pena que Inma se haya marchado. Era un estímulo para otras clientes porque tiene un sentido de la disciplina física admirable y daba gusto verla trabajar en el gimnasio. Aquí tenemos de todo: squash, masaje subacuático, piscina, gimnasio, sala de ballet, un pequeño restaurante dietético.

La enumeración de las bondades de las instalaciones le persiguió hasta la puerta, donde la mujer distrajo su buena educación en dos frentes, el de Palacín y el de unas clientas al parecer muy importantes a las que comentó la maravilla del chandal que llevaban.

—Nos lo compramos en julio en Londres, de rebajas.

—¡Qué suerte!

Ya en la calle, Palacín miró el reloj que le separaba equidistantemente del tiempo para llegar a los entrenamientos o del de acercarse al banco para rastrear el nuevo domicilio de su hijo. Tenía que elegir y se decantó por el entrenamiento, sin que luego le abandonaran los reproches mientras orientaba al taxista sobre el itinerario más correcto para llegar al campo del Centellas. Tal vez si le pidiese permiso al entrenador para salir a la una y así llegar al banco antes de que lo cerraran, pero el entrenamiento matinal era especial para los tres profesionales de un club de jugadores pluriempleados que solían entrenarse a partir de las siete de la tarde cuando terminaban sus trabajos más estables. Estaban al comienzo de temporada, no se fiaba del rendimiento de su pierna, era el último contrato de su vida y el señor Sánchez le había prometido un trabajo auxiliar en sus empresas para cuando tuviera que colgar las botas. El remordimiento por el aplazamiento le persiguió durante todas sus carreras, como si le siguieran las piernas cuchillas de los defensas más feroces y Precioso percibió su dispersión.

—¿En qué piensas, Palacín? Has de estar por el juego.

Tuvo en los labios la petición pero la dejó morir como un balbuceo y luego ya se entregó a una depresión profunda de la que le libró el agua de la ducha claveteándole frialdades sobre el cerebro caliente. Recordó de pronto una ducha a dos con Inma y la intromisión del niño, con su cuerpecito desnudo pegado al de sus padres riendo la travesura. Lo subió hasta la altura de sus cabezas y se besaron los tres bajo la lluvia cenital. Si cerraba los ojos con fuerza la imagen se rompía, como se había roto en la realidad en algún momento impreciso y para siempre, que en sus remordimientos situaba en torno al primer fichaje de su prematura decadencia, cuando en la evidencia de que no tenía porvenir en Barcelona aceptó el fichaje por el Valladolid e Inma le siguió como una desterrada y luego convivió junto a él como una encarcelada que además ha de soportar los malos humores de un héroe con la corona de laurel ya demasiado holgada para su cabeza. Cada final de partido significaba el comienzo de un vía crucis en busca de los comentarios periodísticos que primero le dedicaron la expectativa que se merece un joven ídolo en apuros y luego la llamada crítica constructiva para que volviera a ser lo que había sido y finalmente la frase desdeñosa que anticipaba el silencio. A veces se refugiaba en el retrete para leer una y cien veces las críticas más benévolas, como si a su conjuro esperara el regreso de la seguridad en sí mismo y de los tiempos mejores. Otras veces se cerraba por dentro, se sentaba en la taza sanitaria y se provocaba las lágrimas para sacarse del pecho una angustia de harina mojada, una angustia que le recordaba las masas de harina aún no elástica que empezaba a amasar de jovencillo en el horno de su tío, allá en Santa Fe, a pocos kilómetros de Granada y a demasiados de Madrid o Barcelona. Todo su ascenso deportivo lo recordaba a partir de escenas de triunfo: los cuatro goles que le metió al Lorca en aquel partido de tercera regional que estaban espiando los cazatalentos de Barcelona y de Madrid, el orgullo de aquel teniente entrenador que le estuvo mimando cuando hizo el servicio militar voluntario en Granada, y en vez de desfilar y hacer imaginarias se iba a correr por la sierra precedido por el teniente en una moto.

—¡Para poder esprintar has de tener fondo!

Y cuando acabó la mili, el partido semiclandestino que jugó mezclado con los jugadores del Figueres, en una concesión especial para que los técnicos de Barcelona le vieran de cerca. Y el fichaje. Y la cesión al Zaragoza. Y el retorno. Aquellos dos goles al Madrid, con De Felipe lívido por la pelota que le había pasado por encima de la cabeza antes de empalmarla a gol sin dejarla caer al suelo.

«La bola mágica», tituló a toda página *El Mundo Deportivo*, y el titular parecía una corona sobre su estatura de joven héroe brincando para llevar su alegría hasta los cielos. Como un álbum de fotografías que llevaba en su cabeza, en aquel retrete, de aquel piso de lujo asomado al Pisuerga, las imágenes se sucedían movidas por una mano invisible seleccionadora de crueldades.

«Palacín ni regatea, ni remata, ni corre, ni existe.» Le temblaban los brazos con los que abría el periódico de Madrid en el que se glosaba su «catastrófica actuación» en el partido contra el Atlético de Bilbao: «Una actuación que lo mejor será olvidarla, para Palacín y para nosotros, en homenaje a aquel muchacho en otro tiempo llamado a ser el heredero de Zarra y Marcelino.» A veces cuando llegaba borracho a altas horas de la madrugada rehuía el encuentro con la insomne Inma en la cama y se refugiaba en aquel territorio propicio de luces crudas, azulejos y superficies rutilantes que acentuaban sus contornos caedizos y devolvían un frío silencio a sus balbuceos entre el desafío y la compasión. Hasta que estallaba la bronca, la pelea, la disculpa, el remordimiento y la espera de otro domingo, de otros titulares, de una confianza que le había abandonado. Una tarde el Valladolid ganó al Madrid en su campo y la prensa destacó que Palacín no sólo «había chutado con intención» sino que además «había jugado abriendo espacios y mareando a la defensa merengue, como en sus mejores tiempos de Barcelona». De la depresión pasó a la euforia y de la euforia a un alcohol diferente, y cuando entró en casa llegaba alzado sobre los más altos zancos y soportó mal los reproches de Inma, reproches aquella noche no dirigidos a un vencido sino a un vencedor, y las dos bofetadas que le dio le rompieron la expresión de ira por otra de desvalimiento e impotencia que él jamás podría olvidar y que le habían perseguido a lo largo de estos años de separación como una mala sombra. Primero fue la marcha de ella a Barcelona para serenarse y reflexionar. Luego los días se hicieron semanas, meses y la posibilidad de un fichaje en Estados Unidos no mereció el entusiasmo que él había esperado en Inma. Viajó hasta Barcelona para convencerla y ella le tendió la tarjeta de un abogado, en un piso que olía a otro hombre, a aquel Simago, traficante de futbolistas que le había aconsejado en sus negociaciones con el Barça, con el Valladolid y ahora con el Los Ángeles sin enseñar su secreta querencia hacia Inma. Estaba guapa aunque algo más gorda, y el niño permaneció aparentemente ajeno a la escena, dibujando monstruos en una cartulina que luego le enseñó y le regaló. Eres tú, le dijo. Era él aquel gigante de dos cabezas, la suya y una pelota adosada como un quiste.

Despertaron a Sánchez Zapico a las siete de la madrugada para decirle que se había caído un ascensor de uno de los almacenes de chatarra, y se había caído porque alguien había cortado los cables. Sánchez Zapico consiguió pensar, aunque su mujer a su lado roncaba y enviaba soplidos agrios hacia la lámpara de cristal de Murano que se habían traído de Venecia como recuerdo utilitario del viaje por las bodas de plata del matrimonio. De la comisura de los labios de la durmiente se escapaba un hilo de saliva, de tanto como paladeaba su sueño, y cuando el hombre levantó la sábana y la cubierta de la cama para saltar al suelo, se contempló el sexo erecto que asomaba impaciente por la bragueta del pijama. Habría que hacer algo por él y no sólo mear. Fue hacia el lavabo con la cabeza llena de planes y ascensores desplomados y el sexo al aire libre, como señalándole la ruta. Cerró la puerta por dentro y se masturbó sobre la taza del retrete, pero en vano recordó el culo de aquella francesita pecosa de Relax Solar, o los senos colgantes de una sobrina mientras se inclinaba a servir la comida los días de los setenta y cinco cumpleaños de los setenta y cinco miembros de la familia, o el cuerpo de su propia mujer en uno de sus coitos más afortunados, especialmente aquel polvo en el camarote del barco en un crucero por las Baleares organizado por los industriales confiteros de Barcelona, una mujer propia idealizada, con una juventud paralizada, como si estuviera embalsamada en un rincón de la memoria de su juventud compartida. Nada. Podía más la premonición de catástrofe y se quedaron él y su pene mirándose cara a cara, de arriba abajo, como tiene que ser, pero en una humillada retirada el animalito, mientras él musitaba: otro día será, hermàno, y se enfrentaba ahora a otro calvo, él mismo en el espejo del lavabo y las manos buscaban maquinalmente el bisoñé yacente sobre una cabeza de poliuretano. Se lo encajó y se peinó las patillas, luego se lavó los dientes y escupió sangre con el agua. ¿Tendré cáncer? El cáncer le esperaba tras de la esquina y cuando caminaba hacia su estudio trataba de escoger la llamada más adecuada, la más prudente, pero la más certera, una llamada que no exigiera un rosario de llamadas, pero que tampoco irritara demasiado a la bestia que le esperaba tras de la esquina. No iba a despertarle a aquellas horas y se sentó a la mesa del despacho, con las manos en los bolsillos del batín, contemplando el teléfono para que no se le escapara, y cuando dieron las ocho y media en el cucú suizo del comedor, adquirido en un viaje para comprar gruyère y ver el surtidor de Ginebra y el mundo en general, marcó el número que tenía en la cabeza con decisión, aunque toda la fuerza de los dedos se iba perdiendo brazos arriba. Tenía los brazos flojos y los dedos firmes.

—¿Germán? Perdona que te llame a estas horas, pero hemos de hablar. Me parece que habéis perdido la paciencia. Ya sabes a qué me refiero. No gastemos palabras, ni tiempo. Hemos de hablar. ¿Ahora?

Ahora. Un ahora cortante que terminó por ponerle nerviosos los brazos y los hombros y el cuerpo que se le removió en un estremecimiento. Si Germán decía que ahora, debía ser ahora, y pantufleó por el parquet en busca del vestidor. Se puso aquel traje azul marino con rayas blancas y una corbata de seda que le había regalado la «nena» después de un viaje por Italia, viaje fin de curso de la Escuela de Azafatas, y se preparó en la cocina un bocadillo de pan con tomate y «catalana» y un tazón de café con leche, porque se piensa mejor con el estómago lleno. Sacó el coche del parking y recorrió las cuatro manzanas que le separaban del parking de Germán Dosrius, abogado, su abogado, ¿no era su abogado? Cuando todo estuviera en su sitio le pondría ante un ultimátum: ¿de quién eres tú abogado? Pero cuando lo tuvo delante en la terraza de un sobreático sobre el Turó Park, a la que le introdujo una criada todavía adormilada, no le hizo preguntas absolutas, sino complementarias y pedagógicas sobre el porqué y el cómo y el para qué de las plantas que Dosrius estaba regando.

—Cada mañana las riego. Ya sé que no es la mejor hora, pero no puedo prever mi horario de tarde y noche y en cambio por las mañanas mientras las riego pienso, planeo el día. ¿Cuándo planeas tú el día?

—Por la mañana. Por la mañana, también. Cuando voy al lavabo.

—Buen sitio. Más íntimo, imposible. ¿Desayunamos juntos?

—Un cafelito sólo, ya me he *endiñado* un buen bocadillo.

Y cuando dirigía la taza del cafelito hacia los labios, Dosrius interrumpió el pringue de las tostadas con mantequilla para preguntarle:

—¿Qué pasa?

—Eso digo yo. ¿Qué pasa? Hombre, Dosrius, no me putees de esta manera, Dosrius, que somos amigos de toda la vida. Me han tirado un ascensor abajo de un almacén y ha sido a postas, con mala intención.

—Un ascensor se le cae a cualquiera.

—Y el incendio del almacén de azúcar de la fábrica de peladillas, ¿qué?

—Tienes el seguro cubierto. Yo te lo arreglé.

—Mira, Dosrius, habla con quien sea y pide paciencia. El asunto es de mucha envergadura y no puedo tirar la casa por la ventana o empezar la casa por el tejado. Ya sé que el tiempo se nos empieza a echar encima, pero ya está madurando. Dejadme que me meta en la temporada y cuando todo empiece a salir mal llegará el momento de hacer crisis.

—¿Y si sale bien?

—¡Pero qué bestiezas dices! ¿Cómo va a salir bien? Tengo un equipo de cojos y un entrenador imbécil, hemos perdido mil socios en una temporada, hemos perdido tres de los cuatro primeros partidos de Liga.

—Pero habéis fichado a una estrella.

—¿Estrella? ¿Qué estrella?

—Un tal Palacín. Llegó a ser internacional.

—*Mare de Déu, quina estrella!* (1). Fíjate si estoy nervioso que hasta me haces hablar en catalán.

—Te convendría aprender a hablar el catalán.

—Déjate de hostias, Dosrius. Ese Palacín tiene una rodilla ortopédica. Se lo pedí a Raurell, el intermediario más sinvergüenza. Lo fiché contra el informe médico, es decir, me puse de acuerdo con el médico. Pero es que no lo entendéis. Yo no puedo ser presidente del Centellas y empezar la temporada sin un fichaje que demuestre que yo quiero que el club continúe. Ése fue el acuerdo. Dilo a quien tengas que decirlo, pero tú recordarás muy bien que en aquella reunión del restaurante de Castelldefels con aquellos tipos que tú me trajiste, quedó todo muy claro. Tú trabaja a tu aire, Sánchez. Me dijeron. Me dijisteis. Es lo que hago.

—Las Olimpíadas se echan encima.

—¿Hay un preacuerdo, no? El campo será vuestro.

—Nuestro.

—Nuestro. Claro. Pero no os pongáis nerviosos.

—Voy a serte sincero.

Pero no lo fue hasta que terminó de comerse la tostada y bebió un trago de café con leche que a Sánchez Zapico le pareció un litro de tiempo.

—No se fían.

—¿De quién?

—No se fían.

—¿No se fían de mí?

—Todo está en el aire. Imagínate que los socios deciden prolongar la agonía del Centellas hasta las mismas Olimpíadas, o después, cuando ya la especulación de terrenos se haya disparado y todo lo que quede a cinco kilómetros a la redonda de la Villa Olímpica sea oro puro. Imagínate que entonces nuestro grupo, repito, nuestro, tan tuyo como mío, no puede pujar en la compra de los terrenos del Centellas en competencia con otros grupos, incluso con grupos extranjeros. Imagína-

(1) ¡Madre de Dios, vaya estrella!

71

telo. Imagínatelo por un momento y échate a temblar.

Se echó a temblar, pero sonreía.

—Pero es que...

—Nada de es que... Tú imagina, Juanito. Imagina.

—Pero es que me tomáis por tonto. Es cuestión de meses. Vamos a quedar colistas en dos semanas. Voy a prescindir del entrenador. Ya tengo a un defensa encargado de lisiarle la rodilla más de lo que la tiene al Palacín ese de los cojones.

—O sea que has metido a otro tío en el asunto.

—Yo a ese defensa lo tengo más amarrado que Dios, y no lo he hecho yo directamente. En cuanto estemos en la cola y con el fichaje roto, reuniré la junta directiva y una asamblea extraordinaria de socios y les diré: señores, *hem de plegar!* (1); en la junta hablo en catalán porque tengo en la directiva a cuatro tenderos de Convergència.

—Imagínate que te dicen que no. Que montan una suscripción en el barrio. *Salvem el Centelles!* En este país les gusta salvar todo lo que está *in articulo mortis.*

—¿Qué barrio, Dosrius? ¿Qué barrio? ¿Cuántos años hace que no vas por allí? Aquello no es barrio ni es nada. La gente ya no sabe si estamos en Pueblo Nuevo o en San Adrián, en Barcelona o en las chimbambas. La gente se preocupa de conseguir trabajo y no de salvar equipos de fútbol fósiles y sobre todo si les va a costar una puta pela, ni una puta pela en nostalgia, Dosrius.

—Vendrán los rojos del barrio con lo de las señas de identidad cultural.

—¿Qué cultura, Dosrius? ¿Es que soy presidente de una biblioteca y no me había enterado?

—El fútbol es cultura popular, Juanito. Para los rojos todo es cultura.

—¿El fútbol, cultura?

—No seas ingenuo, Juanito. Los rojos van a la contra siempre. Los rojos de verdad van a la contra porque lo que quieren es tocarle las pelotas al poder, hasta que lo tienen ellos, entonces son ellos los que lo hacen todo por pelotas.

—Pero ¿qué rojos, leche? ¿Dónde están los rojos? A los rojos de ahora yo me los paso por el forro o les doy

(1) Señores, ¡hemos de cerrar!

unas bolsas de peladillas para la *canalla* (1). Todo eso se ha perdido. Los que más gritaban ahora son concejales o directores de esto o de aquello. Los arquitectos que medían la altura de las casas con cinta métrica están construyendo rascacielos, Dosrius, que tú eres un hombre de cultura, tú sí que eres un hombre de cultura y sabes cómo van las cosas.

Dosrius había terminado su desayuno y le escuchaba reservón. Mantuvo el silencio mientras Sánchez Zapico prolongaba o repetía sus argumentaciones. Volvía a exponerle el plan.

—Todo está atado y bien atado, Dosrius. Créeme.

—Te creo porque te conozco, pero yo soy un intermediario y son demasiados intereses los que juegan en este asunto. Piensa lo peor del ascensor. ¿Crees que yo lo sabía, Juanito? Con la mano en el corazón, ¿tú crees que yo te iba a perjudicar?

—Ni me ha pasado por la cabeza.

—Que no te pase por la cabeza. Ha sido un incontrolado, como lo del incendio del almacén. Pero tú has ganado mucha pasta en subastas que te hemos, que te han preparado y ahora pasan factura. Tú ganarás mucha pasta cuando se construya en los terrenos del Centellas.

—La ganará mi cuñado y mi primo.

—Y tú, Juanito.

—Bien, y yo. Por eso, pues por eso soy el primer interesado en que todo salga bien.

A Dosrius se le humedecieron los ojos e inclinó el cuerpo hasta situar su cara a un palmo de la de Sánchez Zapico mientras le cogía cálidamente un brazo con una mano.

—Porque te quiero bien, Juanito. No les engañes, ni te engañes a ti mismo. Hoy ha sido el ascensor. El otro día el almacén, pero ¿y tú?, ¿y tu familia? En esta operación hay gente honradísima, profesionales de la inversión, pero también hay algún chorizo, para qué vamos a engañarnos. ¿Comprendes? Yo respondo de la gente honrada, pero no puedo responder de los chorizos.

Sánchez Zapico estaba tan pálido como la mañana, tan nublado como el cielo.

(1) Chiquillería.

Alguien estaba en la habitación que no era él mismo. Cuando abrió los ojos ya sabía que no iba a gustarle lo que le enseñarían. Quizá una relativa sorpresa ante Bromuro, que estaba al lado de la cama mirando el suelo, como empujado por un hombre alto y delgado que parecía un andaluz de serranía vestido de caro o un marroquí urbano igualmente vestido de caro. Y al otro lado de la cama otro personaje, más equívoco, quizá mestizo de andaluz de serranía y de marroquí urbano, pero también él vestido de caro. Aquélla era su cama. Aquélla era su casa. Vallvidrera. Una mañana de octubre de 1988, mil años de Cataluña, dos mil de Barcelona, cuatrocientos noventa y seis años de la derrota de los árabes, la expulsión de los judíos, el descubrimiento de América. Y él era él, Pepe Carvalho.

—Como si estuvieran en su casa. ¿Son amigos tuyos, Bromuro?

Bromuro parecía una estatua de plomo.

—¿Me permiten? Duermo desnudo.

No le permitían. Así que salió de debajo de las sábanas y paseó su desnudez en busca de un batín semiolvidado que finalmente apareció colgado detrás de una puerta. Estaba preocupado por su aspecto. No estaba gordo pero estaba algo blando. Tenía que hacer gimnasia. Lenta, naturalmente. Los dos evidentes árabes orientaban sus ojos y sus cuerpos hacia los movimientos de Carvalho. Con· la segunda piel del batín, Carvalho se sintió más seguro de sí mismo y se quedó con las manos en los bolsillos a la espera de instrucciones, pero nada más introducidas las puntas de los dedos en los bolsillos, el moro que tenía más cerca adquirió un ágil interés por su gesto y se inclinó para agarrarle las muñecas y forzarle a sacar las manos de los bolsillos. Metió las suyas el otro para comprobar que estuvieran vacíos y luego volvió a su posición estática inicial.

—*Speaking english?*

No les había hecho gracia y Bromuro le envió una señal de advertencia. Llegó tarde. Un canto de mano ancha y pesada golpeó en el pómulo de Carvalho y le dobló la cabeza hacia el este, y cuando trataba de ponerse en tensión, una patada le estrelló contra la pared donde permaneció paralizado para frenar la agresividad de su marcador. En la mano del que permanecía detrás de Bromuro había una pistola que utilizó para indicar que Carvalho saliera el primero de la habitación. Le siguieron hasta el *living* y Carvalho buscó un sillón individual para sentarse y dominar toda la estancia desde un ángulo. Su vigilante especial se situó a su espalda y el otro introdujo a Bromuro a empujones. Cada cual estaba en su sitio y fue entonces cuando el de la pistola dijo:

—Buenos días.

—Buenos días —contestó Carvalho inclinando la cabeza.

—Tú querías vernos.

—No sé quiénes son ustedes y por lo tanto no sé si quería verles.

—El hombre de los zapatos ha dicho que querías vernos. Y no nos gusta que la gente quiera vernos. Cada cual en su casa, es mejor.

—Y Alá en la de todos.

Temió un pescozón por la retaguardia, pero el de la pistola algo le dijo con los ojos al manos largas y no se produjo la agresión.

—¿Qué quieres saber?

—Alguien quiere matar a alguien y se dedica a enviar anónimos anunciándolo.

—¿Anónimos?

—Escritos sin firma. Papeles sin firma donde pone: voy a matar a fulano.

—¿Fulano?

—A cualquiera.

—Muy tonto todo eso. ¿No te parece tonto a ti? Nosotros no sabemos nada de esos escritos. No somos tontos.

—Alguien ha amenazado por escrito a un jugador de fútbol, a un delantero centro.

—¿A Meier, a Hassan?

Le pareció alarmado.

—No conozco a ésos. No. Parece que a un delantero centro inglés que acaban de fichar.

—Mortimer. Muy bueno. Muy bueno Mortimer.

El que tenía a su espalda también dijo que Mortimer

era muy bueno. Eran pues aficionados al fútbol y gente informada.

—¿Y para eso? Nosotros no sabemos. No vamos matando ingleses. Este viejo tonto ha venido a molestarnos para nada y tú eres tonto por enviarnos a viejo tonto.

Un poco más y se pondrían a hablar como los indios en las películas del Far West. Pero el de la pistola era orador y continuaba:

—Nosotros llevar negocios con ley y no metemos en tonterías. No escribimos cosas. No tenemos nada contra Mortimer.

—Pero alguien está preparando algo y ustedes, por sus muchas relaciones y conocimientos, seguro que pueden enterarse de algo.

—¿Y si nos enteramos de algo qué nos vas a dar tú?

Era una pregunta incontestable. No. No podía darles mil pesetas como a Bromuro o cinco mil cuando la información era de primer orden. Carvalho pisaba terreno movedizo y empezó a sentirse intranquilo y desgraciado. La delación ya estaba a unos precios que él no podía pagar. Le pediría a Charo que le empleara en su pensión cuando la tuviera, hacer las camas, limpiar los retretes. Una vejez tranquila, frugal y, ¿por qué no?, feliz.

—Nosotros no dedicamos a tonterías. Entérate. Tonto. Y este viejo también tonto. Un tonto y otro tonto sólo suman dos tontos. Nos has molestado. Nosotros hacer trabajo y no meternos donde no nos llaman. ¿Por qué tú has enviado viejo? Mira. —Amartilló la pistola y la puso en la sien de Bromuro—. Si yo mato a este tonto no me va a pasar nada. Y si te mato luego a ti tampoco va a pasar nada. Mato primero a un tonto y luego a otro tonto. ¿Qué pasa?

Silencio general a la espera del resultado del problema.

—Pues que he matado a dos tontos.

Al de detrás le dio una risa fresca y en cambio el orador apenas si dejó escapar un jadeo risueño que contuvo inmediatamente.

—Este viejo no sirve de nada y sólo trae problemas. Nosotros no queremos problemas. ¿Y tú?

—Hoy por ti, mañana por mí. Hoy me dais una información a mí y mañana puedo dárosla a vosotros.

—Tú no eres necesario. Nosotros sabemos ya todo lo que necesitamos. A ti no. De ti nada. Cállate y no molestes. Nos has hecho venir y perder el tiempo. Que te sirva de aviso. No estás seguro ni en tu casa.

—Le voy a contar al inspector Contreras esta entrevista.

—Cuenta lo que quieras. Contreras no quiere líos y nosotros no hacemos líos. Tú haces líos. Y este viejo tonto hace líos. Si nadie hace líos, todo el mundo bien. Cada uno en su trabajo y Contreras es listo. Contreras es listo. Es de tontos complicarse la vida.

Empujó con el cañón de la pistola la nuca de Bromuro hasta hacerle inclinar la cabeza y con un gesto hizo que el otro dejara la espalda de Carvalho y se situara en la puerta de salida. El de la pistola abarcaba con la mirada todo cuanto contenía la habitación y mientras se retiraba comentó:

—Tienes muchos libros. ¿Qué haces con tantos libros?

—Los quemo.

—Por eso eres tan tonto. Si leyeras más no serías tan tonto. Te hemos avisado.

Y se marcharon. Les oyó abrir puertas pero no cerrarlas y luego el ruido de arrancada de un coche, abajo, en la carretera. Se asomó a la ventana y la vista de la ciudad le ganó la mirada, luego buscó el coche en marcha y lo vio cuando culeaba en busca de la Rabassada. Era un coche poderoso. Bien vestido. Alemán. Bromuro no se había movido de su paralizada postura de desnucado. Tenía un arañazo en la mejilla y la señal de un golpe en una ceja. Le lagrimeaban los ojos y Carvalho fue a la cocina donde llenó un vaso de vino para Bromuro y otro de orujo helado para él. Volvió al salón y Bromuro se había sentado.

—Toma, vino de marca.

—Gracias, Pepe. —Y abrió los brazos como disculpándose—. Ya te avisé.

—Lo siento.

—Más lo siento yo. Me dieron el nombre del morito y cumplí tu encargo. Estos tíos saben de qué va. No hay pinchazo en esta ciudad que este tío no controle y se me cabrearon nada más abrir la boca. Les cabreaba que yo supiera que había que hablar con ellos. Pero un cabreo que no te figuras. Ya te lo dije el otro día. Nos miran como a basura. No somos nadie. Y a punta de pistola y a hostias me trajeron aquí. Si yo hubiera tenido aquel machete de la legión, Pepiño, me los endingo a uno detrás de otro. Pero mírame. Mírame.

—Déjalo. Ha sido culpa mía.

Bromuro bostezaba.

—Me han tenido toda la noche tirado en una casa de la calle de Valldoncella y luego me han traído por aquí. No he pegado ojo.

—Duerme. Échate en mi cama.

—Aquí mismo.

Se tumbó de lado, como tratando de ocupar el mínimo espacio posible y emitió bostezos patéticos, como del que se ahoga en su propio sueño y busca el aire que le despierte. Carvalho se fue a la cocina. Tenía hambre y se hizo un bocadillo de *finocchiona* que había comprado en una charcutería italiana. Se sentía tan irritado como impotente para dar un paso seguro y se sentó ante el teléfono para movilizar lo inmóvil. Primero localizó a Camps O'Shea y le confirmó la invitación a cenar aquella noche en su casa. Pero luego se sentía igualmente vacío y deshabitado. No lo pensó demasiado y esta vez sacó de su armónico estar sin estar a Basté de Linyola pretextando la necesaria urgencia de un encuentro clarificador.

—No sé qué puedo aclararle yo que no pueda aclarar el señor Camps.

—No puedo moverme a ciegas.

—Tengo el día muy ocupado. Si quiere podemos tomar una copa a las ocho en el club Ideal.

Luego empezó a urdir la cena, a paladear la desneurotización de moverse entre materias concretas en busca de la magia de la transformación de los sofritos y las carnes, esa magia que convierte al cocinero en ceramista, en brujo que gracias al fuego consigue convertir la materia en una sensación. Necesitaba ratificarse en algo que pudieran hacer sus manos y dar a otros. A otros. No a otro. Le angustiaba la perspectiva de una cena a solas con Camps O'Shea y telefoneó al gestor Fuster, su vecino.

—Me pillas en la puerta. ¿Es por lo de los impuestos?

—Ni por asomo. Te invito a cenar.

—Pues piensa en los impuestos. Te cae el segundo plazo el mes que viene. Menú.

—Pimientos rellenos de marisco. Espalda de cordero rellena. Leche frita.

—Demasiado relleno, pero no está mal. Iré.

Cuando Bromuro despertó, dos horas después, halló en la cocina a un Carvalho preparando la infraestructura de la cena.

—Qué bien huele todo eso, Pepiño.

—¿Y tú, qué tal?

—Me duele todo.

—Charo te llevará al médico. Hablé con ella.

Bromuro le estaba tendiendo a Carvalho un arrugado billete de mil pesetas.

—¿Qué es eso?

—Toma. No me lo he ganado.

Carvalho le apartó la mano y le llenó otro vaso de vino.

Para Carvalho la ruta de la Barcelona coctelera era una senda iniciada en Boadas, junto a las Ramblas, con su dueña lunar y su fondo de dibujo de Opisso tras las botellas, como un paisaje memoria de una ciudad que ya era definitiva memoria. Había recorrido la senda que une Gimlet, Nick Havanna o Victori Bar en busca del martini *dry* perfecto y al Ideal acudía a veces a media tarde, cuando el local está semivacío y cualquiera puede emborracharse en complicidad con *barmans* sabios o con los dueños, padre e hijo, expertos en propiciar cócteles nuevos y en abastecer de cócteles nostálgicos. Al mediodía o al anochecer, el Ideal se llenaba de tertulias de señores de Barcelona amueblados o de parejas heterosexuales compuestas por ejecutivos agresivos o agredidos y mujeres emancipadas de triple vida, en la que el ejecutivo siempre era la tercera posibilidad. A las ocho el local tenía todas sus especies reunidas y en un rincón Basté de Linyola podía gozar de un relativo anonimato favorecido por las conversaciones, la multitud y la penumbra, al pie de un retrato del dueño del local vestido de lobo de mar del Almirantazgo inglés para arriba. Las viejas glorias del Ideal pasaban de Basté de Linyola, un político de la transición en tránsito hacia su propia nada, y las nuevas glorias le observaban de reojo y su rostro no se asociaba totalmente con el club de fútbol más rico del universo, como hubiera costado asociar a Gorbachov con la presidencia del Rotary Club. Era cuestión de tiempo, el suficiente para que Carvalho encontrara a un Basté distendido y señor de su rincón, consumidor de un cóctel ligero de alcohol que Gotarda *senior* le vendió con literatura de anfitrión sabio. Carvalho pidió su martini, a la espera del prodigio del sabor absoluto, quimera que el martini acepta como un ideal platónico, consciente de que jamás será descubierto del todo el secreto de su perfección.

—He de decirle que este encuentro es una imprudencia. —Pero sonreía—. ¿No le bastaba Sito como intermediario?

—¿Quién es Sito?

—Sito Camps O'Shea. Se llama Alfonso y desde niño le han llamado Sito. Yo soy muy amigo de su padre. Me honro con la amistad de su padre. Camps y Vicens, constructores. ¿No le suena?

—No. Lo siento. El encuentro era inevitable. Todo este asunto es fantasmagórico. Sólo existe en los papeles de los anónimos. Nada conduce a la sospecha del asesinato de Mortimer. ¿No tienen otro delantero centro al que puedan asesinar?

—Tenemos algún otro, pero escasamente asesinable. Si nos matan a Mortimer, puede ser un escándalo. El club sale de momentos difíciles y ha costado devolver la confianza al socio y al público. Este club con cien mil socios es el más poderoso del mundo. Con setenta mil, así de pronto, podría ser un gigante con pies de barro. Mueve el dinero que anticipan cien mil socios al comienzo de cada temporada. Bajar al dinero de setenta mil socios puede ser una catástrofe.

—La policía les ha dicho que se tranquilicen.

—Y estamos tranquilos. Usted es un «por si acaso». Pero a través de mi experiencia en la política y en los negocios he descubierto que los por si acaso son muy necesarios. Estamos en una sociedad disgregada. Aparentemente todo parece controlado y equilibrado, pero detrás de esa apariencia amenaza el caos. La gente no cree en nada. Ni siquiera en que han de fingir creer en

algo. Las sociedades descreídas están llenas de francotiradores gratuitos.

—¿Insinúa que van a empezar a aparecer asesinos
inmotivados y locos, como en Estados Unidos?

—¿Por qué no? Si han aparecido psiquiatras y detectives privados, no veo por qué no puedan aparecer asesinos locos y solitarios. Y aquí aún será peor, porque en
Estados Unidos han conservado la hipocresía religiosa.
Van a oficios religiosos los domingos y se sienten miembros de un rebaño elegido. Aquí ni eso. Han desaparecido las religiones políticas y las otras. Sólo queda el
nacionalismo como comunidad mística, como comunión
de los santos.

—¿Por eso es usted nacionalista?

—Es lo más gratificante que se puede ser y lo menos
concreto, sobre todo si se es, como yo, un nacionalista
no independentista. Fíjese en cómo están las cosas. Aquí
en Cataluña el poder nos lo repartimos entre socialistas
que no creen en el socialismo y nacionalistas que no
creemos en la independencia nacional. Esto se va a llenar de francotiradores, y en cuanto tomen el relevo gentes como el bueno de Sito, de Camps, aún peor. Ése no
tiene ni mala conciencia ni memoria épica, ni otro proyecto que triunfar sin saber en qué ni a costa de quién.

—¿Qué hay que hacer con los francotiradores?

—Detenerles cuando lleven la escopeta en la funda,
y si han desenfundado matarles antes de que ellos maten.

—¿Y si matan?

—Ir a los entierros.

—Usted es uno de los dueños de esta ciudad. Los
dueños de una ciudad lo son porque tienen más información que los demás.

—¿Insinúa que no he dicho todo lo que sé? No sea
ingenuo. Yo sé qué hay que comprar y a quién hay que
comprar. Eso es todo.

Apenas si bebía y parecía complacido por ser escuchado. Carvalho era un público nuevo, capaz de sorprenderse aún por su collage moral e intelectual, por aquel
cinismo británico que le había convertido en un punto
de referencia obligado en los años sesenta y setenta,
cuando los ricos eran de una pieza y él parecía un pris-
ma de mil facetas capaz de citar a un filósofo alemán y
de enriquecerse sin remordimientos, de flirtear con mi-

nistros franquistas y negociar con los líderes clandestinos de las Comisiones Obreras de sus empresas.

—¿Qué hay que comprar y a quién hay que comprar?

—Como siempre. Hay que comprar terrenos y comprar a los que pueden recalificar terrenos. Éste ha sido el negocio fundamental de esta ciudad desde que derribaron las murallas. ¿Quiere invertir sus ahorros?

—Tengo tan pocos que no pueden ni reinvertirse.

—¿Para qué ahorra entonces?

—Para la vejez.

—No le falta mucho, pero para entonces habrá una excelente beneficencia. La beneficencia ha vuelto a ponerse de moda porque es necesaria. Volverán los roperos y los comedores para pobres. No se asuste. Si tiene algún dinero, métalo en terrenos, al otro lado del Tibidabo, cuando construyan el túnel, o en la zona que va a quedar detrás de la Villa Olímpica. Todo aquello será una mina.

—¿Hasta cuándo voy a seguir contratado?

—Hasta que aparezca el autor de los anónimos. ¿Tiene complejo de no ganarse el sueldo?

—Nunca he tenido ese complejo. Si acaso el de no ganar lo que me merezco.

Basté se encogió de hombros y quedó a la espera de nuevas preguntas. La audiencia empezaba a no interesarle, aunque mantenía la duda del porqué del deseo de Carvalho de hablar directamente con él.

—A juzgar por lo que hemos hablado no veo el porqué del interés del encuentro.

—Camps es un satélite y me interesaba oírle a usted.

—Mañana doy una conferencia sobre «Crecimiento urbano y esperanza olímpica». Tiene una gran ocasión de oírme.

—No me gustan las conferencias. La última a la que asistí trataba de novela policíaca y todos los oradores me parecieron unos cantamañanas. Por cierto, ¿es usted muy rico?

—Bastante.

—¿Para qué quiere serlo más?

—Porque eso es lo que da sentido a mi vida. Cuando era joven me sentía desgraciado porque hubiera querido ser un artista magistral: pintaba, tocaba el piano, escribía. Luego pensé que la política era lo que daría sentido a mi vida y estuve a punto de ser de los primeros, pero los ricos no tenemos buena prensa y hasta los votantes de derecha prefieren líderes más modestos. La gente disculpa la estupidez pero no la riqueza. Ahora dirijo un club y eso me da un poder subalterno pero goloso. He de seguir siendo rico y quizá tratar de ser senador antes de envejecer definitivamente. Y eso ya de cara a la esquela de *La Vanguardia*. Mis nietos se merecen una esquela impresionante y un artículo necrológico de un par de columnas. Menos de dos columnas no vale la pena.

—Esta noche he de cocinar para su Sito Camps.

Ahora Basté parecía decantadamente divertido.

—¿Una cena íntima?

—¿Lo dice por Sito, por mí, por los dos?

—De usted no sé casi nada. Pero le advierto que a Sito no se le conocen amistades femeninas. Ni masculinas, eso también que conste.

—Pimientos rellenos de marisco. Espalda de cordero igualmente rellena y leche frita. ¿Qué le parece?

—No me seduce. Como para vivir.

—Me lo temía. Algún fallo tenía que tener.

—Y cuando necesito comer muy bien, generalmente es para seducir a alguien y entonces recurro a tres o cuatro restaurantes seguros. Mi padre hacía lo mismo. Y mi abuelo. Los restaurantes han ido cambiando, pero la tendencia familiar no. Le diré algo que quizá le emocione. Mi tatarabuelo era un arriero del Bages que se vino a Barcelona a hacer fortuna. En el siglo diecinueve en Barcelona sólo había chusma, militares españoles y ricos envejecidos y sin imaginación que pronto dejarían de ser ricos. Mi bisabuelo se hizo regionalista moderado y fue el primero de la familia propiamente rico. Mi abuelo pagó pistoleros para que mataran anarquistas. Mi padre se pasó a Franco durante la guerra civil y luego recurría a la policía armada cuando los obreros se salían de madre. Yo estudié en Alemania y Estados Unidos, soy un nacionalista demócrata y pago a detectives privados.

—¿Y qué?

Pero Basté de Linyola reclamaba al *barman* y sacaba la cartera para pagar.

Fuster llegó antes que Camps y llevaba el portafolios y la gestoría puesta. Eres una catástrofe, Pepe, y te va a caer un palo de Hacienda un día de éstos. ¿Ya tienes apartado el segundo pago? ¿Qué esperas? Si no tienes dinero, pide un crédito. Carvalho había leído en un diario que un magnate de la industria de la construcción de Barcelona pagaba un poco más que él en concepto de impuestos e interrogó a Fuster sobre aquel misterio.

—A ti no te desgrava nada. Sólo puedes alegar las medias suelas que te gastas persiguiendo a la gente, y un empresario puede desgravar hasta el papel higiénico que utiliza cuando va al wáter entre cita de negocios y cita de negocios. Inscribe a Biscuter en la Seguridad Social. Date de alta como empresario. Te lo he dicho mil veces.

—Antes de hacerme empresario me voy a la cárcel por moroso.

—Si no tienes dinero, pide un crédito.

—Con lo cual aún tendré menos dinero. ¿Desgrava pedir créditos para pagar impuestos?

—¿Estás de broma?

—¿Desgravan las pistolas y las balas? Soy un detective. Un servidor de la ley.

—De bien poco sirves tú a la ley y no disparas nada. ¿Cuántas balas has gastado en los últimos años?

—Dos en diez años.

—Miseria y compañía. Huele bien la cena.

Metió el gestor su cisterciense presencia en la cocina, frotándose las manos u ordenándose las parietales melenas blancas.

—¿Quién es tu invitado?

—Un chico de buena familia que ejerce de relaciones públicas en el principal club de fútbol de la ciudad. Camps O'Shea, se llama.

—Construcciones, concesionarios de camiones suecos, industria hotelera en Ampuriabrava... un fortunón.

—Debe ser el hijo que no servía para los negocios.

—Esa gente siempre sirve para los negocios. Un día u otro descubren la importación de bolígrafos de tinta invisible o relojes de arena lunar y se forran como sus padres. Hacer dinero se hereda en los genes.

—Éste va de inquieto por la vida. Tiene inquietudes intelectuales.

—Eso está bien. Te conviene relacionarte con personas que combatan tu tendencia a la barbarie.

Llegó un Camps O'Shea dispuesto bien a encantarse, bien a maravillarse por casi todo.

—Qué maravilla de lugar.

—Esto de Vallvidrera es un encanto.

—Hace una noche maravillosa.

—Me he permitido traerle esta pieza de cerámica de Noguerola, un excelente ceramista de La Bisbal.

—Qué maravilla de ambientación. Espontánea. Natural. ¿Ha sido usted el decorador?

Carvalho trató de separar la sorna del halago porque el escenario ofrecía la estampa de ordenado desorden de una casa en la que todo había venido a menos, desde los techos con goteras ojerosas hasta las tapicerías descoloridas por todas las espumas secas de este mundo.

—Cada objeto es la sombra de una vivencia —opinó Camps, y cogiendo una corbata que Carvalho había descuidado sobre una lámpara de pie, la estudió con atención—. ¿Es una corbata Gucci?

Fue entonces cuando salió Fuster de la cocina y Carvalho hizo las presentaciones.

—¿Es usted de los Fuster de Comalada, los que veranean en Camprodón?

—No. Soy de los Fuster de Villores, provincia de Castellón.

Camps se echó a reír.

—Perdone, pero hay nombres de provincias que me hacen reír. Tienen una eufonía cómica. Castellón me recuerda a Costillón, por ejemplo. Y también me hace reír La Coruña o Pucela, el nombre latino de Valladolid. Fíjese: Castellón, La Coruña, Pucela... cómico. La toponimia española es algo cómica, o cómica o trágica. Como la italiana. En cambio la francesa o la inglesa tienen una gran dignidad.

Fuster exigía de Carvalho silenciosas explicaciones del porqué de aquella trampa, del porqué de aquel personaje que parecía dotado de una frívola excitación.

—Me encanta su casa, Carvalho. Es usted un privilegiado.

Se sentaron a la mesa y cada bocado fue acompañado de los dos adjetivos que aquella noche Camps O'Shea llevaba pegados a la lengua. No sólo se hizo repetir una y mil veces las recetas, sino que incluso inició el gesto de apuntarlas cuidadosamente en un libro de notas con una pluma gran calibre. A Carvalho le gustaban las plumas estilográficas y sobre todo aquella que parecía la pluma esencial. No escapó a Camps aquella observación y se la tendió.

—Cójala, es la más clásica de las clásicas Montblanc. Les confesaré que yo tengo un cierto criterio fetichista sobre los objetos. No hace falta ser muy rico, pero hay que ser partidario de los objetos emblemáticos. Por ejemplo, antes me ha parecido ver que su corbata era una Gucci y no lo era. Cómprese una Gucci en cuanto pueda, porque las corbatas han de ser Gucci. Es inimaginable una corbata que no sea Gucci o una pluma estilográfica que no sea Montblanc. La Dupont es hortera y la Waterman no está a la altura del estilismo sustancial de la Montblanc. La Montblanc es una pluma sustantiva. Y se podría hacer un inventario de objetos connotativos imprescindibles: pantalones tejanos Levis auténticos, los jerseys y cazadoras han de ser Armani, en cambio un abrigo, de cachemir naturalmente, puede ser Zegna, sí Zegna, Zegna y lo sostengo a pesar de la masificación de los productos Zegna. Pero es que el abrigo de cachemir Zegna es especialmente sofisticado y está hecho con la lana de veinte animales que sólo se encuentran en la Mongolia Interior, una región montañosa de la China Septentrional. La lana de veinte animales para un abrigo de cachemir, *el oro de las fibras*, como la llaman los expertos. Claro que vale unas doscientas mil pesetas, pero dura toda una vida. Uno en color canela y otro en negro y tienes abrigo vitalicio para cualquier situación que se presente. Y así les haría un inventario de objetos imprescindibles: un reloj Vacheron Constantin o IWC, una gabardina Burberrys como las que usa Dustin Hoffman, las maletas Vuitton, la colonia Álvarez Gómez, la porcelana de Limoges, naturalmente, ¿de qué otro sitio puede ser la porcelana?, los zapatos ingleses y sobre todo de la casa Upper and Linning, un perfume de mujer el Channel 5, no hay que buscarle tres pies a este gato, los bolsos de Loewe, los fulars de Hermes, los mecheros vamos a dejarlos en Dupont, los mecheros sí pueden ser Dupont, una buena tumbona Le Corbusier, no hay otra y todo por el estilo. Los objetos ratifican lo individual y el marco social. Miren. —Les enseñó el anillo que llevaba puesto, la única joya en aquellas manos de dibujante de aires—. Una triple alianza Cartier. Conocen, supongo, la historia de este anillo fascinante.

No, no la conocían.

—Asombroso. Es una alianza peculiar que fue diseñada en 1923 y por iniciativa del gran Jean Cocteau. Quería regalar algo a tres amigos y pidió una idea a Cartier, a Louis Cartier, y en seguida surgió una idea genial y no podía ser de otra manera entre dos genios: una alianza triple, como símbolo de la amistad de los tres. Hoy esa alianza es un clásico y se venden más de treinta mil al año: ¡más de treinta mil! Y mis zapatos son Upper and Linning, como ya habrán adivinado. Son caros, pero prefiero emplear el dinero en instrumentos de ratificación de una realidad que puedo elegir a través de estos objetos.

Les enseñó los zapatos.

—Los zapatos ingleses son los mejores del mundo desde que John Lobb fundara en el siglo diecinueve la base de la más notable tradición zapatera moderna. Hoy unos zapatos Lobb pueden valer hasta cien mil o ciento cincuenta mil pesetas y eso me parece, sinceramente, una exageración. Cada pieza necesita cuarenta y cinco horas de trabajo y los llevan o los han llevado personas de la categoría de Pompidou, el sha o el príncipe Carlos de Inglaterra.

—¿Pero Carlos de Inglaterra no es laborista? ¿No es un denunciante de estos tiempos de marginalidad que nos abaten?

—Las ideas se llevan en la cabeza y los zapatos en los pies.

A Fuster se le atragantó la cucharada de leche frita que se había metido en la boca, pero ya Camps estaba entretenido en la minuciosa copia del recetario que le dictaba Carvalho.

—Para los pimientos morrones al marisco, ante todo son necesarios los pimientos morrones, es decir, rojos, no muy largos y carnosos. Uno o dos por persona, según el apetito o el tamaño. Se asan los pimientos con cuidado para que al despellejarlos no se rompan. Aparte preparar una farsa con gambas, almejas y pescado de roca cocido, ligado con una bechamel espesa hecha a partes iguales con caldo de las cabezas de gambas y leche, sazonado con pimienta muy aromática y estragón. Con esta farsa se rellenan los pimientos, se cubren con la bechamel más líquida y se hornean suavemente, no mucho rato. La espalda de cordero ya es más complicada y procede de una receta medieval recogida por Eliane Thibaut i Comalade, especialista en cocina catalana antigua. No sé si tendrá bastante tinta en la pluma Montblanc, pero por mí que no quede. Una espalda de cordero deshuesada y muy aplanada, para el relleno carne de cordero picada, piñones, pasas, ajos, perejil, pan remojado con leche de almendras, y sal. Además, también para el relleno necesita pimienta negra, comino, hinojo, *ciboulette*, una piel de limón rallada, tres huevos, una cebolla grande asada, una tira de tocino grande, aceite de oliva y tomillo.

—Huele a Mediterráneo y medioevo.

—Huele, eso es todo. Se mezclan los ingredientes de la farsa y se sitúan en el centro de la espalda. Luego se enrolla. Dentro de la farsa ha de estar todo, absolutamente todo bien picado y mezclado. Una vez envuelta con la espalda se ata con la cinta de tocino, procurando que tenga una estructura regular, cortando las partes que sobresalgan demasiado. Ha de quedar como un inmenso butifarrón. Se dora este butifarrón en una cazuela de hierro colado, con aceite bien caliente. Cuando está bien dorada se añade un cuarto de litro de agua y se deja en la *cocotte* a fuego lento, rodeada la espalda con ajos enteros. Es importante ir dando la vuelta a la espalda cada diez o quince minutos y que no se cueza demasiado, porque el cordero demasiado hecho se vuelve correoso e ingrato. Una vez cocida se parte la espalda, se le quita la cinta de tocino y bien escurrida se sitúa en el centro de una bandeja. Aparte se trabaja el fondo que ha dejado la cocción añadiéndole agua y los ajos despellejados y machacados como en un puré. Se reduce este caldo y cuando está muy caliente se rocía con él la espalda que ha de servirse tibia, pero la salsa caliente. Ya está.

—¿Y la salsa que la acompañaba?

—Es el legendario *almedroch*, que ya recoge el *Sent Sovi*, la biblia de la cocina catalana medieval. La más simple se hace con ajo, aceite, queso rallado, trabajándolo como un *all-i-oli* y si queda muy espesa se puede aligerar con agua, muy poca, y aderezar con especias al gusto. O si se quiere espesar se puede añadir yema de huevo cocida.

—Ya sólo queda la leche frita.

—Camps, no me haga decirle la receta de la leche frita.

—Me parece un enunciado mágico. Imposible.

—¿Mágico? Si usted lo dice. Mezcle unos cien gramos de azúcar con cincuenta de harina de trigo y le añade cuatro tacitas de leche y va batiendo, añadiéndole también una nuez de mantequilla. Se pone al fuego lento y sigue batiendo hasta que se espesa. Luego la desparrama por una fuente y deja que se enfríe y se solidifique. La corta entonces en cuadrados regulares, los pasa por harina y huevo, los fríe muy ligeramente en mantequilla muy caliente y lo sirve espolvoreado con azúcar.

Fuster agrandó los bostezos mediante la dimensión de la boca, no del sonido, y Carvalho aguardó el momento en que iniciara la retirada. La practicó marchándose hacia la cocina y allí fue Carvalho a recoger sus confidencias.

—La próxima vez me avisas del ganado que vamos a lidiar. Es superior a mis fuerzas y supongo que tiene gestor, con lo que no gano nada quedándome.

—Me pone tan nervioso como a ti, pero ya puedes irte. Te necesitaba para romper el fuego.

—La próxima vez cobraré.

En cambio estuvo maravilloso, o encantador, cuando se despidió de Camps pretextando la obligación de madrugar y solicitando de su criterio un consejo sobre los cubiertos que debía comprar, en situación como estaba de cambiar su *menagerie*, y lo dijo con la correcta pronunciación que caracterizaba su francés de radical afrancesado. Camps sonrió receptivo y entornó los ojos para buscar en los casilleros de su memoria la respuesta más adecuada.

—Sin duda, en estos momentos, el platero más adecuado para una buena cubertería es Durán, de los joyeros Durán es la cubertería de los reyes de España, de los Franco, de Gregorito Marañón, en cuyos manteles he tenido el honor de comer porque ha tenido o tiene negocios con mi tío. Durán también es un maravilloso artesano de barcos de plata.

Maravilloso artesano de barcos de plata, refunfuñó Fuster a lo largo de toda su retirada. En cambio la expresión se convirtió en una fantasmagórica imagen flotante a la deriva en los charcos alcoholizados del cerebro de Carvalho.

—La cena ha sido exquisita, aunque la compañía de su amigo, breve, y no me ha pedido el autógrafo del que usted me habló.

Declamó más que habló Camps O'Shea, sin que la disciplina de la buena educación consiguiera vencer la sorpresa que conservaba por las buenas artes culinarias de Carvalho.

—Armónica. Todo lo referente a los sentidos necesita la regla de la armonía y contadas excepciones de excesos.

Volteó el Vieille Fine de Bourgine, elaborado a la manera de Josep Cartron y exigió una explicación técnica sobre el excelente aguardiente de Nuit de Saint Georges. A Carvalho no le gustaba la literatura sobre el paladar o quizá menos aun que las demás literaturas y salió del paso con cuatro generalizaciones sobre la evolución de la destilación francesa desde la fijación de cánones a final del siglo XIX. En los ojos de su invitado crecía el interés por un anfitrión dueño de tan exclusivas sabidurías y casi se oyó el rumor de los esfínteres mentales de Camps al dejar salir todas las resistencias. Suspiró y estiró el cuerpo en la butaca.

—Espléndido. Espléndido, Carvalho.

Pero el detective se había desentendido de él y buscaba en lo que quedaba de su biblioteca un libro con el que encender el fuego que pedía el relente húmedo de Vallvidrera. Camps seguía sus movimientos desde una somnolencia cariñosa, aunque a medida que veía avanzar el ritual recuperaba el esqueleto y la capacidad de perplejidad. Carvalho había mellado una estantería eligiendo un libro que empezó a deshojar.

—Pero ¿qué hace usted?

—El fuego contribuirá a que aumente su sensación de armonía.

—¿Y para eso rompe un libro?

—Voy a quemarlo. Todo fuego bien hecho necesita su papel original.

Cada página arrancada era un pellizco en el corazón del armónico que finalmente se atrevió a preguntar con poca voz:

—¿Qué libro va a quemar?

—Un libro sobre prerrafaelitas.

Los ojos de Camps preguntaban ¿prerrafaelitas?, ¿qué sabe usted de eso? Pero los labios fueron más prudentes:

—¿Por qué lo quema?

—Estaba a mano. Tiene una cubierta antipática y se refiere a una mezcla cultural bastarda: pintura y literatura, en su peor faceta: pintura de la literatura. No se sorprenda. En cierta ocasión hice un ejercicio para un examen trimestral sobre los prerrafaelitas. Tengo mis estudios.

—No lo dudo. Y firmes convicciones estéticas.

—Esta noche sí. Mañana será otro día.

—Tal vez mañana lo indultaría.

—La suerte de este libro ya está echada. Sólo una vez indulté un libro: *Poeta en Nueva York*, y fue por una cuestión sentimental. Me pareció como si quemar aquel libro fuera fusilar dos veces a García Lorca y lo salvé, a pesar de que el garcialorquismo nacional e internacional me resulta insoportable. La verdad es que el cuadro de Ofelia ahogada en el lago siempre me ha fascinado.

Había vuelto a los prerrafaelitas, tal vez porque las llamas retorcían precisamente la estampa en que Ofelia ahogada emerge sobre las aguas como una gran, monstruosa y a la vez delicada flor podrida.

—Tenemos almas gemelas, Carvalho. —El detective miró al relaciones públicas con desconfianza—. También usted tiene un doble fondo cultural que reprime por culpa de un oficio devaluador.

—De eso nada. Ni fondo cultural, ni oficio devaluador.

—Tal vez tenga razón. Yo podría trabajar en otra cosa o simplemente no trabajar. Me apunté a esto precisamente por lo que tenía de contraste con mis ambiciones y porque Basté de Linyola, muy amigo de mi familia, me dijo que quería romper con la imagen tradicional de poquedad y adocenamiento que había dado el club en los últimos años. Además, no voy a negarlo, me fascinaba penetrar en la cueva de los héroes. ¿No imagina usted el vestuario de un gran club de fútbol como esa caverna mítica donde los héroes y los dioses esperan la batalla astral?

Carvalho respiró hondo. Camps O'Shea se había inclinado hacia adelante, con la copa apretada entre las dos manos y los ojos perdidos en una montañas de Olimpia que sólo él veía. ¿De qué película has sacado la pose, amigo?, pensó Carvalho, pero se dispuso a escuchar las inevitables cavilaciones de aquella alma maleta de doble fondo, como las peores almas y las mejores maletas.

—¿Sabe usted de qué batalla astral se trata?

—Ni idea.

—Los dioses ordenan el universo y los héroes lo defienden. Los dioses son menos interesantes que los héroes. Por ejemplo, Basté de Linyola es un dios y Mortimer un héroe. No hay color.

—Por lo que he leído en la prensa, no me interesan ni el uno ni el otro.

—El uno se cree interesante. El otro lo es.

—¿Por qué se cree interesante Basté de Linyola?

—Es un político, más o menos frustrado. Ha querido ordenar la economía, la democracia, Cataluña, y ahora quiere ordenar la sentimentalidad épica de este país devolviendo al club su carácter de ejército simbólico no armado de la catalanidad.

—Y aquí entran los héroes.

—Aquí entran los héroes. Si hiciéramos un árbol genealógico de la heroicidad nos llevaríamos sorpresas.

—Sorpréndame.

—El héroe real es el guerrero. Toda sociedad ha necesitado mitificar a sus guerreros para mitificar la legitimidad simbólica de su agresividad. Desde las sociedades más primitivas, al héroe se le dotó de un ritual, de un vestuario, de un aura de elegido que por su victoria podía, fugazmente, equivaler a un dios. Pero los dioses seguían controlando el cotarro desde la trastienda y los dueños de la tierra, es decir, los dioses, han ido adaptando al héroe a lo largo de los tiempos. ¿Recuerda usted el símbolo de san Jorge matando al dragón? Nuestro sant Jordi nacional. Pues es el resultado de una simbología antigua en la que el héroe era a la vez serpiente. En las leyendas germánicas el héroe es mitad hombre y mitad serpiente, porque lleva en su interior su propia negación. San Jorge ya no tiene la serpiente dentro, sino fuera, y la mata. Empezaba a establecerse en el mundo la lógica de los tenderos que quieren las cosas claras y el alma unidimensional. Y los cristianos, desde su zafiedad mental, fueron más lejos. San Miguel Arcángel no lancea a una serpiente o a un dragón simbólico, sino a Lucifer, es decir, al mal con su carnet de identidad de mal.

Tomó aliento mental y degustó por un rabillo del ojo el efecto que su erudición estaba causando en Carvalho.

—¿Le canso?

—No. Siga. Las palabras habladas no hay que quemarlas. Se queman solas.

—El mito heroico siempre se ha basado en el hombre poderoso o en el dios hombre que vence al mal y que libera a su pueblo de la destrucción y la muerte. ¿Me sigue? Me sigue. Estupendo. Me sé de memoria un fragmento del trabajo de Jung sobre el hombre y sus símbolos que le servirá para entender lo que quiero decirle. Al héroe se le rodea de textos sagrados, ceremonias, se le canta, se le baila, se le hacen sacrificios y todo ello, y aquí cito de memoria «... sobrecoge a los asistentes con numínicas emociones (como si fuera con encantamientos mágicos) y exalta al individuo hacia la identificación con el héroe». A ese hombre que cree en el héroe, que se identifica en él, le estamos dando el instrumento para liberarse de su propia poquedad personal, de su propia insignificancia y se cree dotado de una cualidad sobrehumana.

—El fútbol.

—O cualquier otro ritual de la victoria y la derrota. Y proyéctelo usted en un mundo actual mediocremente civilizado en el que las guerras son precisamente casi imposibles entre los países más civilizados. El héroe deportivo sustituye a los Napoleones locales y los dirigentes del deporte a los dioses ordenadores del caos. Y traslade usted este esquema a España, a Cataluña, a nuestro club. Nuestro club es sant Jordi y el dragón el enemigo exterior: España para los más ambiciosos simbólicamente, el Real Madrid para los más concretos.

—Y a usted no le gusta todo esto.

—Me fascina y me divierte.

—Pero no le gusta.

—Me gustan muy pocas cosas, Carvalho. Ya es suficiente con que algo te fascine y te divierta.

—Le envidio. Hace muchos años que no me fascina nada y me divierte menos.

—Ha de recuperar la conciencia de ser superior. Los héroes sólo sirven para las masas.

—Porque habéis usurpado la función de los dioses...

—¿Cómo dice?

—Le repito la primera frase del anónimo.

—Ah, sí. «Porque habéis usurpado la función de los dioses que en otro tiempo guiaron la conducta de los hombres, sin aportar consuelos sobrenaturales sino simplemente la terapia del grito más irracional: el delantero centro será asesinado al atardecer.» Me lo sé de memoria.

—Otro desencantado por la degeneración de la mitología.

—De hecho he meditado sobre todo esto a propósito del anónimo. No comparto la tesis policial de que se trata de un comecocos, como dice el comisario Contreras. ¿Ha pensado en la posibilidad de que sea un fragmento, un fragmento de algún libro arreglado, parafraseado?

—En cualquier caso es un comecocos. Nadie que no sea un comecocos lee libros de este tipo o se decide a parafrasear fragmentos con un cierto gusto por el ritmo paralelístico...

—¡Ritmo paralelístico! Era lo último que esperaba oír de sus labios.

—Usted ha removido mis profundos posos culturales. También de vez en cuando alguna mujer consigue remover mis profundos impulsos sexuales. Con los años todo lo he ido metiendo en el fondo del arca.

—¿Puedo preguntarle su edad?

—Puede.

Carvalho removió el fuego. Luego cogió su copa y ofreció un brindis a distancia.

—¡Por Pepe Carvalho, que será demasiado viejo en el año dos mil!

—Al menos somos libres, Marçal.

—Si no fuera por este frío.

—Aún no ha acabado el verano. Pero este piso tiene frío acumulado. No cierra ni una puerta.

Permanecían tumbados en el colchón y desde allí veían la puerta del piso atrancada con una silla y sobre la silla un cubo lleno de agua para aumentar su peso y para que si alguien quisiera entrar lo volcara y avisara de su intento. La puerta podía abrirse y cerrarse con llave desde fuera, pero no desde dentro.

—Dame un chute.

—¿No puedes esperar? Sólo tengo dos y esta tarde volverás a necesitar. Yo tengo tanta necesidad que casi me cago. Me tintinea el esqueleto.

—Dame un chute, por favor.

Lo pedía por favor, pero no tardaría en ponerse nervioso y agresivo.

—Cuando lleguen las lluvias esto se llenará de goteras.

—Habrá que buscar otro piso que no esté bajo tejado.

—Otra casa. Los pisos de más abajo están ocupados.

—Viejos y gatos.

—Nosotros somos dos yonquis sin gato.

—Dos gatos yonquis. Dame un chute.

Ya no pedía por favor, y ella se llevó la mano a la herida de la frente.

—Mira lo que me hiciste el otro día cuando te pusiste nervioso.

—Mala puta. Tenías un grano y te lo habías escondido.

—No he visto un grano desde hace años.

—Pero tenías para cuatro o cinco chutes y no querías darme.

—¿Te has visto en el espejo?

—Y tú, ¿tú te has visto en el espejo?

Se habían incorporado en el colchón sobre los codos y cada uno se había convertido en el espejo del otro. Él se vio en los ojos de ella, ojos agrandados por la delgadez, pero hundidos en una calavera gris, y ella se vio en los ojos de él como si se le hubiera achicado la cabeza y reposara en una bandeja que era la cuchilla del hacha.

—Mala puta, dame un chute.

Se quitó la sábana amarillenta de encima y quedó desnuda a contraluz del marco de la ventana con las contrapuertas cerradas pero sin cristales. Más allá de la cruz inútil de los listones crecía el rumor del barrio, como crecía la tarde hasta madurar y pudrirse en los resoles sobre las fachadas desconchadas.

—Si quieres un chute, gánatelo. Ya estoy hasta el coño de hacer la calle y que tú no hagas nada.

—Hija de la gran puta. Tú me has metido en esto y yo te protejo. De no haber sido por mí ya te habrían rajado en cualquier esquina.

—Tú no te proteges ni a ti mismo.

—Tú quieres que te hostie.

—¡Hóstiame! ¡Hóstiame si tienes cojones!

—¡Te voy a hostiar!, ¿eh?

Era una advertencia o era una petición de permiso. Cada vez que él le pegaba sentía como si recuperara la conciencia de sí misma, a medida que le crecía el odio y la impotencia. Unas semanas atrás él se había desmayado después del vómito y ella estaba extrañamente serena, lo suficiente como para planear desquitarse de los golpes de los últimos meses. Se sacó el zapato y estuvo golpeando aquel cuerpo derrotado del que sólo salían gemidos de desconcierto hasta que vio sangre escandalosa y prefirió aprovecharla para dibujar ríos sobre la piel oscura y desnuda del hombre. Ríos, afluentes, dibujos esotéricos trazados con la yema del dedo índice que iba buscando las bocas de la sangre para darles proyecto y recorrido.

—Dame un chute o te hostio.

—¡Toma ya tu chute y pícate, maricón! Pero hemos terminado. En cuanto salga llamo a tu padre y que venga a buscarte y te meta en la granja esa a limpiar cerdos.

—Os mataré a los dos. A ti y a mi padre.

—Que se los gaste. A ti no te salva ni Dios, pero él que se los gaste.

—¿Y a ti quién te salva? Tú empezaste en esto y por tu culpa estoy como estoy.

—Toma tu chute que aún me vas a hacer llorar.

Él también se había salido de debajo de las sábanas y quedaron los dos cuerpos desnudos, frente a frente, con los sexos como brochazos mirándose de hito en hito y en cambio los ojos huyéndose. Ella se inclinó para sacar algo del zapato y tiró contra la cara del hombre un paquetito blanco y sin peso que no consiguió recorrer por el aire más de un metro hasta caer sobre el colchón. Marçal se tiró sobre él y lo cogió con una agilidad insospechada para encerrarlo en su mano y luego volvió a ponerse en pie y buscó una caja de cartón en una esquina de la habitación de la que sacó una jeringuilla con la aguja ya adherida y una tira de goma y un mechero. Ella volvió la espalda a la escena y se acercó a la ventana, poniéndose de puntillas para ver la calle. Empezaban a iluminarse los rótulos y la señora Concha salía a su balcón para comprobar el buen funcionamiento del suyo y acariciar la hiedra que colgaba de una maceta, como una melena.

—¿Tú crees que esa tía tendrá los ahorros en casa?

Él no contestaba. Se volvió y estaba buscándose la vena con la lengua entre los labios y la respiración contenida, con la misma fijeza como si enhebrase una aguja. Cuando consiguió encontrar una vena resistente, se sacó la goma y respiró aliviado a medida que el líquido pasaba de la jeringuilla a su cuerpo. A ella se le escapó una sonrisa de madre que contempla el buen apetito de su hijo.

—¿Está bueno?

—De puta madre. Joder... No sabes cómo lo necesitaba.

—Te preguntaba si esa tía tendrá los ahorros en casa.

—¿Qué tía?

—La que me da el bocadillo.

—Algo tendrá.

—Antes de marcharnos habría que darle un tiento.

Volvió a su observatorio. La señora Concha ya no estaba en el balcón, pero de la puerta de la calle salió el huésped que según la tía aquella era futbolista.

—Mira. El futbolista. Un futbolista gana un pastón, ¿no?

Pero él no la oía. Se había dejado caer en el colchón y sonreía juguetón a las vigas desconchadas.

—¿Recuerdas aquello que leímos en aquel libro? Tú qué vas a recordar. «La droga no es un estimulante», decía. «La droga es un modo de vivir.»

En la placidez de su éxtasis, él volvía a parecerse a aquel compañero de facultad con el que había iniciado la aventura de vivir al límite. Conducir en contradirección por la autovía de Castelldefels, falsificar la firma del padre en cheques bancarios que les permitieron viajes que ella sólo había fabulado a partir del cine y los libros. Llegaron hasta el Bósforo y no se detuvieron en el Bósforo. Nepal. Goa. Birmania... Para ella un sueño de estudiante brillante y pobre que utilizaba la locura de su compañero estudiante oscuro y rico. Hasta que de pronto tuvieron que admitir que estaban enganchados y alguien los sacó de un estercolero de Melbourne para repatriarlos con un billete que a él le pagó su padre y a ella Cáritas. Él la había seguido cogido de su mano en aquel camino de autodestrucción y le quedó la costumbre de protegerla, la gestualidad de la protección sin que fuera realmente protección.

—Me he puteado por ti —le decía para amargarle los pocos instantes de lucidez.

Pero no era cierto. Vivían así. Era una manera de vivir como otra cualquiera. «Caballero, ¿le complacería pegar un polvo literario conmigo?» Cuando él se ponía baboso y lloroso, llamaba a su padre y *el rey del desguace* acudía a salvar al chico de espaldas a su joven mujer y madrastra. Hasta que el chico pasaba una cura de desintoxicación, le vaciaba la cartera y la primera cuenta corriente que se ponía a su alcance y hasta le pegaba una paliza hasta destrozarle un tímpano de una patada. Ella al menos ya no podía recurrir a su familia. Su madre se había vuelto al pueblo para no correr el riesgo de encontrársela por una calle y sus hermanos hasta se habían borrado de la guía telefónica para que ella no pudiera obsequiarles con sus soliloquios telefónicos insultantes.

—Montse, cariño, soy tu hermana Marta. ¿Aún sigues

viviendo con ese baboso que te escarba el coño con un garfio por si tienes ladillas?

Montse colgaba no sin antes emitir ronquidos despavoridos, pero a veces no colgaba el teléfono y se ponía su cuñado con todo el atletismo moral en sus cuerdas vocales de barítono.

—¿Marta? ¿Marta? Es intolerable. No sé qué persigues con tu funesta actitud, pero estás destrozando la vida de tu hermana.

—Hola, capitán Garfio. ¿Cómo te van las cosas?

Cuando el cuñado se oía llamar capitán Garfio, colgaba. Aunque manco, había conseguido ser uno de los abogados más respetados de la Asociación Catalana de Minusválidos y no le gustaba que se befaran de su defecto.

—Al menos somos libres —declamó Marta en dirección al hombre desnudo, yacente y en éxtasis.

—Los barcos navegan por los cuatro horizontes, Marta, y el pan ya no flota. Es una rosa.

Un oscuro montón de ropa se convirtió en un vestido ceñido y escotado cuando Marta se lo pasó por la cabeza y luego se calzó los zapatos, revisando primero si en uno de ellos continuaba la otra dosis. Ella prefería tomársela de madrugada, cuando volvía de callejear, casi siempre inútilmente. Retiró el cubo de la silla, luego la silla y la puerta casi se le vino encima desencajada. Se volvió desde el dintel para ver la desarmada placidez de su compañero.

—Cierra en cuanto puedas ponerte de pie.

Luego, cuando bajaba las escaleras con la insuficiente ayuda de unas piernas blandas, se preguntó a sí misma que para qué había que cerrar aquella puerta, uno y otro día. ¿Qué les podían quitar? ¿Dos chutes? ¿El pote de calentar la leche y la sartén, que era todo cuanto tenían en la cocina? ¿Rajarles un par de tíos aún más pirados que ellos? O quizá le gustaba el ritual de la silla, el cubo de agua, la sensación de prevención de amenaza.

—Siempre se ha de vivir con maneras. Hay que conservar las maneras. Las que sean.

Pensaba cuando salía a la calle y meditaba alguna variante de su reclamo. «Caballero, presiento que lleva usted una antorcha olímpica entre las piernas. ¿Me da fuego?»

Cuando el instinto le indicaba que debía conocer más a determinada persona era porque el instinto no se fiaba de la persona en cuestión. Y el instinto aquella tarde le dijo: vete a la conferencia de Basté de Linyola, aumenta tu cultura sobre la ciudad en la que vives y compruebas de qué pie calza el caballero Basté. Y como solía ocurrirle cuando luchaban en su interior obsesiones contrarias, fueron sus incontrolados pasos los que la encaminaron hacia el Colegio de Abogados donde Basté de Linyola, ex miembro de la Junta del Colegio, disertaba sobre «Crecimiento urbano y esperanza olímpica», presentado por Germán Dosrius, ponente de Cultura de la junta directiva. La palabra crecimiento le recordaba la infancia. Siempre había que tomar algo para el crecimiento en una época en que nada ayudaba a crecer, y la esperanza olímpica le sonaba a algo tan exótico como las técnicas empleadas por los achicadores de cabezas o el oscuro asunto de la cosecha de caviar en el mar Caspio. Se mezcló entre una evidentemente selecta concurrencia, aunque de vez en cuando le pareció distinguir restos antropológicos del progre de los años sesenta y setenta, siempre con pelos blancos en el bigote o en la barba y esa mirada de animales traicionados por la historia que los progres empezaron a cultivar a partir de los años ochenta. En cuanto al salón inspiraba el mismo respeto que debe inspirar la ley, y tanto el presentador como el ponente parecían recién salidos del vestidor de la sastrería más cara de Barcelona. Iban tan bien vestidos que hasta Carvalho se dio cuenta, y respetaban tanto el ritual del me siento honrado y no sé si debo que dieron más preámbulos que conferencia, hasta que Basté, presentado como uno de los «últimos señores de Barcelona» y como uno de esos barceloneses que habían hecho historia democrática de la ciudad, de Cataluña y de España, estuvo en condiciones de quitarle la palabra al pertinaz presentador y empezar a hablar por su cuenta.

—Señoras, señores, es un honor para mí aprovechar

la ocasión que me ha brindado el Colegio de Abogados para hablar sobre esta ciudad, sobre esta mi ciudad. Ocasión que en estos momentos me sorprende detentando uno de los cargos más, a mi pesar, emblemáticos del espíritu de la ciudadanía, no ya de Barcelona, sino de toda Cataluña. Se ha dicho que nuestro equipo de fútbol señero es más que un club y se ha añadido que es el ejército simbólico y desarmado de Cataluña, una nación sin estado y, por lo tanto, sin ejército. Y puede ser cierto. Pero no es mi cargo actual, ni de nuestro equipo, ni de nuestros ejércitos posibles o imposibles de lo que voy a hablar, sino de la gran aventura de a la vez rehacer y hacer Barcelona. Rehacer lo mal hecho. Hacerlo nuevo y de acuerdo con el desafío que plantean unas Olimpíadas que han de perpetuar el espíritu, la tradición olímpica y al mismo tiempo producirse en el mejor de nuestros tiempos democráticos...

No estaba entrenado para conferencias, y por eso al primer respiro de Basté de Linyola, Carvalho pactó con su esqueleto un cambio de postura, pero no con la dama sentada a sus espaldas y de reojo vio el profundo disgusto que le había causado porque le impedía la visión del orador.

—La democracia nos obliga a pensar sobre lo hecho y adoptar un criterio posibilista. Fueron muchos los que en el pasado dijeron: hay que destruir tanta mezquindad y construir sobre las destrucciones. Pero ninguna ciudad puede destruir ni siquiera sus partes peores sin causar perjuicios mayores que los beneficios a obtener. Hay que aceptar la buena y la mala herencia del pasado y practicar un urbanismo y una arquitectura de dignificar lo dignificable y derruir sólo lo estrictamente destruible. Siempre desde la filosofía que traducen dos *slogans* omnipresentes en los cuatro puntos cardinales de la ciudad. *Barcelona més que mai* y *Barcelona, posa't guapa*. En efecto, Barcelona más que nunca y Barcelona, ponte guapa. Más que nunca, porque nunca como ahora podemos dar un salto hacia el futuro activado por el desafío olímpico, y Barcelona, ponte guapa, porque esta ciudad será el escaparate de Cataluña y de España en mil novecientos noventa y dos y está en juego una imagen publicitaria en el gran mercado universal de la imagen. Y eso hay que hacerlo con seriedad y responsabilidad democráticas. Sin dejarnos conducir por la aventura especulativa, pero tampoco dejándonos paralizar por un conservadurismo pusilánime que en ocasiones adquiere coartada o disfraz de pensamiento progresista, de pensamiento de izquierda. Es cierto que sin las posiciones progresistas el mundo no habría avanzado, pero no es menos cierto que cuando el progresismo se estanca, se dedica a la endogamia, vive de su propia retórica, puede ser más pernicioso aún que el peor conservadurismo explícito. Esta ciudad puede crecer o paralizarse y eso depende de que con la coartada de vigilar la especulación, de defender a la ciudad de los especuladores, se pase por el rasero de la suspicacia, de la sospecha, toda iniciativa de crecimiento y se caiga en la peor de las tesituras: ni hacer, ni dejar hacer. El pensamiento crítico tiene su tiempo y cuando se prolonga más de lo necesario se convierte en un obstáculo fiscalizador que acaba inutilizándose a sí mismo porque ni alienta ni impide lo nuevo. Esta ciudad debe fiscalizar su propio crecimiento, indudable, pero no hasta el punto de paralizarlo. A los gestores del ayuntamiento socialista me dirijo, aunque les sé sensibles al espíritu de lo que estoy diciendo: vigilen más a sus amigos y compañeros de viaje que a sus enemigos. A veces los amigos y los compañeros de viaje son un lastre...

Un filósofo, lo que se dice un filósofo. Y un programador porque empezó a trazar líneas maestras de expansión de la ciudad hacia el Maresme y hacia el Vallés, por los imprescindibles túneles, repitió, imprescindibles, y otra vez, imprescindibles.

—¿A quién se le ocurre que una ciudad, como órgano vivo en perpetua expansión, se contente con las fronteras naturales que la aprisionan? ¿Ha sido éste el espíritu tradicional de los barceloneses que desde el siglo doce han derribado sucesivas murallas hasta encontrarse sólo con las que impone la naturaleza?

A los cuarenta y cinco minutos de exposición, el esqueleto de Carvalho ya estaba harto de la poca imaginación de su dueño para combinar las vértebras en relación con el cansancio del culo, y cuando la indignación consigo mismo estaba a punto de hacerle levantar y abandonar la conferencia, Basté de Linyola sonrió, se sonrió, y tras mirar el reloj lo ofreció a la contemplación de la sala.

—Este reloj marca la hora del presente, en la que aún todo es posible y la hora en que yo debo callarme y ustedes empezar a preguntarme. Nada hay tan triste, parafraseando a uno de nuestros mejores poetas, como una misa en la que sólo reza el cura. Señoras y señores, gracias por su atención.

Aplausos encantadores para un hombre encantador, murmullos y un mirarse unos a otros a la espera del primero que rompiera el fuego del coloquio. El introductor, moderador, recogió migajas del banquete de simpatía que había ofrecido el orador y quiso propiciar el debate.

—Difícilmente conseguiremos ser tan brillantes y documentados como el amigo Basté de Linyola, pero tal vez para ir abriendo el apetito me atrevo a hacer una pregunta.

—Atrévete, atrévete.

—Me atrevo.

Risas.

—Tú has dicho que hay un *filum*, bueno, no has empleado la palabra, pero he creído entender que hay un *filum* entre la querencia de eticidad democrática y su contenido, es decir, la no verdad de la democracia cuando en nombre de sí misma paraliza el progreso. Claro que tendríamos que ponernos de acuerdo sobre la idea de progreso... tendríamos que ponernos de acuerdo sobre tantas cosas... —Se rió.

Se rieron.

—No, no tendremos tiempo de ponernos de acuerdo sobre tantas cosas. Pero ese *filum*, no dialéctico, si fuera dialéctico no habría empleado la palabra *filum*, que es en sí misma conjuntiva y casi lineal en el sentido que le da Pearson, por ejemplo...

—Por ejemplo.

—Entre otros, claro, pero Pearson, que es sensatamente lineal, utiliza *filum* como conjuntivo y lineal... quizá más conjuntivo, te diría, que lineal...

—Depende.

—Claro. Todo depende del referente y del contexto. El referente como mirón privilegiado, mirón que es mirado, para utilizar la imagen de Morin, y el contexto como la otredad nunca estática, desde luego. La otredad nunca es estática... —Y enmudeció para parpadear y recuperar un *filum* interior que había perdido—. A lo que iba.

Pero no iba a ninguna parte.

—Esto...

—Quizá querías preguntarme.

—Sin quizá, sin quizá... quería preguntarte...

—Tal vez sobre la eticidad que se niega a sí misma.

—Desde sí misma. Eso es. Se nota que el amigo Basté es filósofo, entre otras cosas, y que conoce muy bien a Hegel.

—No tanto como tú, Germán.

Todas las conferencias son iguales, pensó Carvalho. Un imbécil que se resume a sí mismo y trata de tirarse a los asistentes, sean del sexo que sean.

—Es decir, para resumir la complejidad de lo expuesto, porque nuestros oyentes se merecen la cortesía de la claridad: ¿ante el crecimiento de Barcelona hemos de ser democráticamente imprudentes?

—Te diría que sí, sí. Sin duda alguna. Ante una ocasión como la que se nos presenta, una democracia prudente sería insuficiente. Tenemos que ser generosos con nuestras ideas y con las de los demás. Se dice que esta ciudad sólo ha crecido según el interés de sus patricios, pero lo que ha quedado beneficia a todos. Ahora esta ciudad debe confiar en los que saben y en los que pueden.

—Señoras y señores, suyo es el conferenciante. Creo que su afirmación es un buen puente de partida, no me he equivocado no, quise decir puente de partida y no punto de partida.

El público empezó a pasar por el puente. ¿Hemos de acabar la Sagrada Familia? Mucho crecimiento olímpico, pero ¿y el tráfico? ¿Está usted de acuerdo con la limpieza que han hecho de la Pedrera de Gaudí? Basté contestaba con humor y relajamiento todas las preguntas anecdóticas, pero tensó la musculatura cuando se levantó un evidente progre insuficientemente joven o insuficientemente viejo y le espetó:

—¿Qué papel deberían tener las asociaciones de vecinos en la vigilancia de ese crecimiento? ¿Quién va a ser el encargado de distinguir, denunciar, aislar a los chorizos que van a tratar de enriquecerse a costa de ese crecimiento?

Algunos murmullos de reprobación de la palabra chorizo, una palabra que pocos años atrás habría sido aceptada como un elemento subcultural gracioso y ahora parecía radicalmente desestabilizadora, como supo observar Basté.

—Cuando las democracias se estabilizan, el lenguaje también debe estabilizarse.

Aplausos.

—Pero no eludo su pregunta. El papel de las asociaciones de vecinos debe ser ético, según el sentido que hemos tratado de dar a esta palabra hasta ahora: deben hacer y dejar hacer, confiando en los que pueden y en los que saben.

—¿En los que pueden y en los que saben enriquecerse?

—Que yo sepa, enriquecerse no está prohibido por la Constitución, de lo contrario, se lo confieso, yo habría votado en contra y conmigo otros muchos. Si hubieran estado en contra de la Constitución los ricos, probablemente hoy usted y yo no tendríamos aquí este diálogo tan civilizado.

—Ya que se han puesto tan cultos y civilizados, le diré a usted lo que pienso de lo que ha dicho, culta y civilizadamente: cada época encuentra las palabras que necesita para enmascararse.

—Eso le pasa a todo y a todos. A las épocas y a las personas.

El público estaba molesto por la abstracción y radicalidad adquirida por el debate y una señora devolvió el diálogo al territorio de lo concreto: ¿hemos hecho el esfuerzo deportivo necesario para que alguna mujer catalana consiga una medalla olímpica? El conferenciante fue cortés al afirmar que todas las mujeres de Cataluña merecían una medalla olímpica, y documentado al exhibir un exacto conocimiento del mal estado en que estaba nuestro, insistió en lo de nuestro, deporte de base y de élite. Tan pobre el de base que casi no existe el de élite. Pero un país que sin afición musical aparente ha tenido un Pau Casals, puede dar la sorpresa de genios deportivos que de pronto broten en el erial. Fue el momento elegido por Carvalho para brotar del público y quedarse un momento expectante por si escogía la salida de la derecha o de la izquierda, detención que permitió que Basté le reconociera y una sombra le bajara sobre los ojos achicados. Pero Carvalho no la asumió y buscó la salida en la que coincidió con el ex joven impugnador.

—Parece que no le ha convencido.

—No lo parecen, pero son los de siempre.

—Y ustedes también.

—No. Y así les va. Nosotros ya no somos los de siempre. Que se metan la ciudad en el culo y que les aproveche.

Basté no le había convencido, pero tampoco le había provocado el efecto contrario. Le había sorprendido en un escenario civil donde le trataban como a un patricio y ahora necesitaba Carvalho suponerle en su otro escenario de dios de héroes y se trasladó al estadio para sentir el efecto que le podía provocar a Basté un cambio de papel repetido varias veces a lo largo de un día. Como orador patricial le había parecido un cínico y cuando Carvalho llegó al estadio y enseñó su salvoconducto de «psicólogo social», pensó que Basté no podía tomarse en serio la liturgia futbolística, por más catedral que pareciera el poderoso estadio. Los jugadores estaban sentados en el césped escuchando una lección teórica del entrenador que daba la espalda al público ocioso que seguía los entrenamientos. Le pilló un momento en el que decía:

—Según Charles Hugues, para la creación de espacios libres hay que tener en cuenta los siguientes principios: tratar de disgregar al contrario a lo largo y a lo ancho del terreno; cambiar de dirección, bien cambiando bruscamente de trayectoria o bien cruzando la trayectoria con otro compañero del equipo; hay que pasar el balón con prontitud, que no se pegue el balón a la bota; hay que saber disimular las propias intenciones; hay que regatear sólo lo estrictamente necesario, y cuando se controla el balón hay que tener en cuenta cuatro principios...

Y siguió con los principios hasta el hastío de Carvalho, convencido, ya para siempre, de que los seres humanos se dividen en dos grandes clases: los que dan conferencias y los que las reciben.

El cajero le remitió al apoderado, quien tras escucharle con una unción bancaria, se quedó en meditación unos instantes para decidir que era asunto del señor director y de su confesionario. Palacín esperó a que terminara la audiencia con un hombre que al parecer salía de ella más intranquilo de lo que había entrado, porque el señor director le encarecía:

—Recupere los ánimos.

Y al estrecharle la mano trataba de transmitirle el fluido de confianza del sexto o séptimo banco más importante del país. Luego disolvió la sonrisa para ofrecer confianza y gravedad a su nuevo asaltante y le rogó que le precediese en el acceso al despacho.

—Quizá no sea necesario.

—No hay conversación que no deba hacerse sentados.

Y se sentaron. El director escuchó su breve discurso de buscador de familia a través de una cuenta bancaria. Le pidió el carnet de identidad y reclamó al apoderado para que le trajera el dossier de la cuenta corriente. Lo estudió como si le fuera en ello el balance anual y finalmente ofreció a Palacín una sonrisa y una esperanza.

—No veo ningún inconveniente serio para atender su demanda.

De nuevo reclamó al apoderado y Palacín no necesitó a que terminaran de hablar para que la angustia, aquella bola de harina mojada, le ocupara el pecho y el estómago. Su hijo y su ex mujer no estaban en España y habían dejado unas señas de Bogotá para que les enviaran las transferencias de sus depósitos. El director repitió lo que Palacín ya había escuchado y le tendió una nota donde constaban las señas tan lejanas que a Palacín le parecieron extraterrestres. En silencio persiguió con los ojos aquella referencia casi inútil y algo parecido a las ganas de llorar le tapió el alma y tardó en oír las llamadas del director.

—¿Le sirve de algo, señor Palacín? Señor Palacín, ¿me oye? ¿Me oye?

Balbuceó agradecimientos y se puso en pie con la nota en la mano.

—¿Seguirá distinguiéndonos con sus ingresos?

—Sí. Desde luego.

—Sabe usted que aquí tiene un equipo de gente dispuesta a trabajar por sus intereses y por los de su familia. Por cierto, ¿ha oído hablar usted de nuestra emisión de bonos convertibles en acciones? Son convertibles en acciones en el momento que usted lo desee, al margen de las fluctuaciones de la Bolsa.

—No. De momento no.

—Si se lo repiensa ya sabe dónde nos tiene.

Palacín se quedó en la puerta del banco entre dos direcciones que no tenían sentido para él. Podía ir a los ejercicios de recuperación que el entrenador le había recomendado o meterse en la habitación a hundirse en la depresión que le encharcaba. Llamó un taxi y tardó en decidir la ruta, hasta que escogió la depresión y pidió que lo dejara en la esquina de la calle de la Cadena con Hospital. Sonambuleó hasta la puerta de la escalera de la pensión y allí se detuvo para descubrir una causa que le impidiera subir. Tenía hambre o debía tener hambre. En cualquier caso era la hora de comer y se fue calle de San Olegario abajo en busca de una cafetería o un restaurante económico. Se metió en el que le pareció menos sucio, tal vez porque era el más iluminado, y encontró sitio ante una mesa de plástico sobre la que pusieron un mantel de papel. Le bailaban las palabras y los números de la carta, aunque ya sabía que pediría una ensalada y un bistec poco hecho. Haraganeó con el tenedor entre las hojas de lechuga, en busca de dos rodajas de fiambre humedecidas por el aliño de vinagre y aceite y percibió antes el olor de la muchacha a sudor y colonia barata que la voz que le preguntaba:

—¿Tiene fuego?

—No fumo.

—Eso está bien.

Le era familiar aquel cuerpo delgado y sobre todo aquel estilo de estar quieta, como a la espera de algo que, fuera lo que fuera, no tenía el menor interés. Ella interpretó su búsqueda de identificación con petición de que se quedara y se sentó ante él.

—¿Te molesto?

—No.

—Yo a ti te tengo visto. —Y lo decía como si estuviera en posesión de una parte de él mismo, como si le recuperara después de una dura ausencia—. Vaya si te tengo visto.

—También yo creo conocerla.

—Muy visto. Mucho. —Y se dejó caer en el respaldo de la silla para apoderarse aún más de su desconcierto.

Palacín se hizo cargo entonces de aquella presencia de mujer invertebrada como si el esqueleto no fuera suficiente para construirla o pugnara por marcharse de tan poca e inútil carne llena de venas.

—Tú eres el futbolista.

—Es usted demasiado joven para recordarme. Hace tiempo que no salgo en los periódicos.

—Tú eres el futbolista de la señora Conchi. La de la pensión.

Ahora la recordó. Su perfil al fondo de la cocina con una taza en la mano, soportando con resignación cualquier discurso de la patrona.

—¿Está hospedada en la misma pensión?

—No. La señora Conchi me invita y voy, pero una servidora es puta.

Él hizo una mueca asumiendo la información con normalidad, porque tardó en entender lo que le había dicho y cuando lo comprendió se puso en tensión, consigo mismo y con lo que viniera de aquella presencia inquietante.

—¿Te gustaría pegarme un polvo literario?

—¿Un qué?

—Olvidaba que eres futbolista. A ti lo de polvo literario no te dice gran cosa. ¿Quieres meterme un gol entre las piernas, corazón?

—No. —Lo dijo tan secamente que corrigió antes de que ella reaccionara—. Hoy no.

—Es la mejor hora. Después de comer. Una siestecita. Los jugadores tenéis que descansar mucho. Tú descansa y yo actúo. Mis clientes ni han de moverse. Mil pelas y la cama. Sana y limpia y honrada... No estoy muy buena pero follo con mucha imaginación. Tú me metes el gol y yo hago todo lo demás.

—Si quieres te invito a algo.

Lo esperaba porque levantó el brazo convocando al camarero y pidió un carajillo de Chinchón seco.

—Puedes pedir algo de comer si quieres.

—Estoy delgada pero no muerta de hambre. Eso déjalo para la vieja loca esa. A ella le gusta hacer de madre. Peor para ella.

La dureza de las palabras se correspondía con el brillo eléctrico de la mirada que le enviaba desde el fondo de sus ojeras. De pronto le sonrió y le puso una mano sobre el brazo.

—Comida no, pero si me pagas una raya de coca quedas bien, como un señor, y me haces un favor.

—No tengo coca.

—Yo sé cómo tenerla.

—¿Para mí también?

Era otra persona que llevaba dentro la que lo había preguntado, pero mantuvo la oferta ante aquella cara en la que había desaparecido todo rastro de ironía y sólo ofrecía anhelo y promesa.

—La que quieras.

—Es que no he tomado nunca.

—Yo te enseño.

—¿Dónde?

—No te preocupes por eso. Tú dame la pasta y yo voy a buscar dos rayas. Dame quince mil pelas. ¿Las llevas?

Asintió con la cabeza, pero no hizo el gesto de buscar la cartera en el bolsillo trasero del pantalón. Se miraron a la espera de quién disparaba la primera palabra.

—¿No te fías?

—No es eso.

—Es eso. Lo comprendo. Tú sígueme. Vamos a la plaza Real y verás cómo me hago con la coca. Tú te quedas a distancia para que no te pringuen y luego no lo olvidarás, te lo juro. Si no lo has probado nunca, no lo olvidarás.

Pagó la cuenta y la siguió en busca de la calle de San Pablo para desembocar en las Ramblas. Ella corría más que andaba y él trataba de disimular la excitación, con las manos en los bolsillos, la cabeza alta, las piernas como desinteresadas por el recorrido. Cuando llegaron a los soportales de la plaza, ella se adelantó y caminó más despacio, como si se dedicara a la busca de cliente, pero sus ojos ya habían visto a una pareja de hombres que tomaban sendas cervezas en una de las terrazas. Llegó a su altura y fingió la alegría de un sorprendente encuentro. Ella parecía una actriz, ellos la estaban pesando con ocultas balanzas cerebrales y dejaron subir una cierta sorna a las pupilas. Pero en cuanto ella metió el dinero bajo el plato donde yacían los restos de una tapa de mejillones a la marinera, la compostura distante de los hombres desapareció y una de sus cuatro manos se metió en el bolsillo y salió para estrechar la que le tendía la mujer ya en despedida. A Palacín le pareció un encuentro normal y cuando ella volvió sobre sus pasos y empezó a arrepentirse de su impulso, incluso forzó la marcha para alcanzarla y proponerle que se quedara con el dinero pero que la coca había dejado de interesarle.

—Ya está. La tengo en el bolsillo.

Recuperaron la calle de San Olegario, San Rafael y ella se metió en una escalera que olía a orín de gato y a polvo momificado. Subieron por escalones de ladrillos mellados y llegaron ante una puerta en la que las capas de pintura amontonadas durante tres siglos le habían dado un aspecto celulítico. Metió ella una pesada llave de hierro en la cerradura, pero la puerta apenas cedió.

—Mierda. El hijoputa ese está dentro. —Pegó dos patadas contra la madera y gritó—: ¡Venga! ¡Quita la silla y el cubo y abre!

Tardó en oírse ruido de vida en el interior y luego el toque de algo metálico al depositarse en el suelo y una silla que a medida que era arrastrada permitía que la puerta se abriera y apareciera un pasillo hacia una caverna llena de restos inútiles, de un desorden fruto de arqueologías acumuladas. En el centro del pasillo, un hombre joven en calzoncillos, con un cubo lleno de agua a su lado y los ojos incapaces de concretar lo que estaban viendo.

—Esfúmate. Vengo con un cliente.

—¿Con un cliente, aquí? Te dije que no los trajeras aquí...

—Esfúmate.

El hombre estudiaba a Palacín y a la mujer y de pronto pareció llegar al descubrimiento de una verdad que necesitaba.

—¡No venís a follar! ¡Venís a pegaros un chute! ¡Te

conozco, mala puta! ¡Tú aquí no vienes nunca a follar!

—Esfúmate o no verás un chute en un mes.

—¿Qué me darás si me voy?

—Tú vete y no te arrepentirás.

Les precedió hasta una habitación en la que el colchón en el suelo convertía en dormitorio y del suelo recuperó pantalones arrugados como una piel de espantapájaros y un pullover que se puso directamente sobre la piel. Nunca les dio la cara, ni siquiera antes de retirarse seguido de ella, que tras su salida repuso el cubo y la silla en su sitio. Luego regresó corriendo a la habitación y le señaló a Palacín que se sentara en el colchón.

—No tenemos sillas. Yo lo preparé todo.

Desapareció y volvió con un espejo y el cuerpo de un bolígrafo sin su corazón de tinta.

—¿Quieres que me despelote?

—No. Es igual.

—Si en algún momento quieres que me despelote me lo dices.

Se sentó junto a Palacín, abrió una mano y en el centro apareció un paquetito envuelto en papel blanco y al abrirlo enseñó a Palacín su alma de polvo fino y blanco.

—Aquí la tienes. Es la vida. Es más buena que la vida. Más buena que cualquier cosa. Supongo que no la habrán puteado demasiado. Conozco al proveedor y es un hijoputa, pero respeta a los conocidos. Es un tío legal.

Creó dos rayas de coca sobre el espejo y sorbió una de ellas con un orificio de la nariz valiéndose del canuto del bolígrafo. Respiró satisfecha mientras dejaba caer la cabeza hacia atrás, como para meter el polvo dentro de sí misma y luego le tendió el espejo y el canuto a Palacín.

—Tápate un agujero de la nariz, joder. ¿Cómo quieres aspirarla con todo el morro?

Palacín vio cómo la raya de polvo desaparecía y paulatinamente notaba un leve cosquilleo en la nariz que le obligó a respingar cuando por el canuto sólo entró aire.

—Verás qué maravilla.

La voz de ella había cambiado. Tenía los ojos buenos. Hermosamente buenos. Ojos que le estaban besando.

La contratación de Gerardo Passani como entrenador del equipo no se había hecho sin tener en cuenta qué papel iba a desempeñar Mortimer en el esquema táctico general. Passani era mundialmente conocido por la teoría del doble centrocampismo que algún cronista italiano había calificado de *esquizocentrocampismo*. Básicamente la teoría partía de ampliar el centro del campo a seis jugadores que se desdoblaban en un centrocampismo retardado y un centrocampismo avanzado, mientras por delante abría espacios y esperaba balones de un delantero centro rompedor, de pronto respaldado por la acción de los tres centrocampistas avanzados, hombres dotados de gran velocidad y de potencia de chut desde fuera del área. Esos seis hombres eran la clave y se convertían en la pizarra en una fórmula referencial:

$$6 = \frac{3 \quad A}{3 \quad R} = 6 \text{ AR}$$

La fórmula no fallaba y en la conclusión final se producía una sorpresa lógica, sorpresa lógica insistía Passani, porque el seis que abría la fórmula no era el mismo seis que la cerraba. Insistía, seis no ha de ser fatalmente igual a seis, puede ser igual a seis AR. Es decir, una vez pasado por la partición esquizoide, por el doble centrocampismo, los seis centrocampistas eran algo más que seis centrocampistas, porque adquirían una doble cualidad atacante y defensora, complementaria e intercambiable. Durante el primer mes de entrenamiento, Passani insistió mucho sobre su providencial sistema táctico en los cursos teóricos dirigidos a los jugadores, y cuando se incorporó Mortimer, algo convaleciente a principio de temporada de una lesión contraída en un partido internacional de la selección inglesa, de hecho no hubo problema de adaptación táctica porque Mortimer, por las características de su juego, era el punto final, el destino receptivo y transformador del trabajo de sus seis compañeros, fueran aprehendidos como estricto seis o como 6 AR. De esta complementariedad se derivaba una segunda fórmula que Passani materializaba así:

$$6 = \frac{3 \quad R}{3 \quad A} = 6\ AR + M$$

De lo que se deducía que la defensa contraria de pronto podía enfrentarse a una fórmula matemática incontenible:

$$3\ R + 3\ A + M = 6\ ARM$$

Demasiado para la poca capacidad de abstracción del fútbol español, razonaba Passani, que aunque italoargentino, había aprendido buena parte de su teoría del fútbol en clubs ingleses. Cierto era que los restantes cuatro miembros del equipo tuvieron desde el primer partido un cierto complejo de inferioridad porque no se veían representados en la pantalla electrónica digital que Passani controlaba con un mando a distancia.

—*Mister*, ¿nosotros qué número tenemos?

Passani creía que los cuatro jugadores complementarios, aunque importantes, no formaban parte del *punch* decisivo y que por lo tanto no necesitaban matematiquización, neologismo que quedaba muy suavizado por el seseo y la entonación entre porteña y genovesa: *matematicasisasión*. Pero a la vista de la impresión de frustración que en ellos creó el no formar parte de la fórmula, les supuso letras adicionales que trató de implicar en una fórmula más amplia y general. Así cada jugador restante recibió una de las cuatro letras finales del abecedario: W el portero, X, Y, Z los tres defensas, también desdoblados en un esquizodesdoblamiento de avance y retroceso que en un momento podía verse reforzado por el 3 R que tenían por delante. Passani consiguió plasmar la estrategia global de los once jugadores en una fórmula suficientemente elocuente:

$$W + XYZ\ (A)\ (R) + 6\ RA + M = 11$$

Cierto es que sólo Mortimer disponía de una inicial que le individualizaba y que no todo el mundo aceptó aquella ventajosa posibilidad de identificación con generosidad, pero al fin y al cabo Mortimer era la *vedette*, era el gran reclamo de los espectadores y pronto se acallaron las protestas si es que llegaron a formularse. No hubo distingos en cambio en las atribuciones de utillaje, ni de armarios en el vestuario, ni de la ducha, aunque tanto Passani como Camps O'Shea trataron de convencer a los jugadores que dejaran la piscina cubierta situada en el interior del vestuario libre el suficiente tiempo para que Mortimer hiciera ejercicios de relajación flotante, que Passani había descubierto como indispensables para los paquetes musculares de Mortimer. Razonaba aquella tarde Passani a los jugadores que se relajaban del entrenamiento:

—El objetivo es conseguir que once jugadores sean en realidad veinte. Hagan sus cálculos: el portero y Mortimer son números fijos, individuos, es decir, uno más uno. Pero los tres defensas y los seis centrocampistas se desdoblan y por lo tanto son nueve por dos, igual a dieciocho, y, si no me equivoco, uno más uno más dieciocho hacen veinte.

Mortimer, que en un principio acogió las explicaciones con recelo porque decía que las matemáticas no le gustaban, entró en razones ante la poderosa verbalidad de Passani, en parte contratado por su dominio del inglés, indispensable para sacar rendimiento del previsto héroe de la afición. No obstante Mortimer tomaba nota de las explicaciones del entrenador y cada noche las repasaba con ayuda de Dorothy y su tía, más dotadas ambas mujeres para el cálculo y la lógica matemática. No advertía el trío inglés que Carvalho era su seguidor habitual, a la espera de que algún signo circunstancial le revelara el origen de la amenaza, aunque Mortimer ya estaba familiarizado con la presencia del detective que a veces merodeaba por los entrenamientos o se quedaba a prudente distancia escuchando las clases teóricas de Passani con una aparente o real desgana. Los jugadores habían asumido que Carvalho realizaba un complicado estudio cuya sustantividad radicaba en la palabra estudio y la adjetivación era lo de menos. Aquel hombre les estudiaba, pero no les molestaba y acabó siendo una presencia lejana y asumida, casi imperceptible. A Carvalho le aburrían las sesiones de teoría y práctica y llegaba a marearle la sintaxis mal respirada de

Passani que parecía un novelista barroco subempleado.

—No es más cierto que aventurado el delantero a una zona de campo en sí misma abierta, avanza pero retrocede, retrocede pero avanza, con la cabeza alta y una pierna empleada en soporte mientras la otra espera carrera o golpe de pelota, con la intuición añadida de la presencia enemiga que va a la carga o simplemente espera que una distancia excesiva del pie a la pelota dé tiempo a poner obstáculo en la clara y libre manipulación del balón, frustrando una situación en el campo y anulando todo un esfuerzo de resituación que definitivamente debe comenzar de nuevo. Cuando esto se produce, recuerden, pasamos a la situación A, *a* de axpectativa, a la situación R, *r* de recomposición.

Carvalho agradecía los finales de aquellas sesiones y la salida a la superficie del Mortimer real, de pronto convertido en un muchacho vestido de calle, sorprendentemente joven y casi frágil, que era recibido con alborozo por Dorothy y la tía y por una malla de protección más o menos invisible que componía una pareja de policías y dos guardias privados, más Carvalho cuando elegía alguno de los itinerarios de los ingleses para estudiar un posible seguimiento que pudiera sugerir la sombra de la amenaza. Aparte de la razón de oficio, Carvalho fue cebando los ojos secretos de su deseo en el cuerpo de Dorothy, contenidamente rotundo a pesar del embarazo incipiente, de muchacha pelirroja y sana llena de límites contundentes y poseedora de una carnalidad contenida en vestidos sueltos de una pieza, ceñidos en la cintura para establecer un doble centrocampismo a su manera, como dos fragmentos de un campo erótico y magnético sobre el que se cernían los ojos de Carvalho, como si fueran ojos de buitre, y su olfato, como olfato de vampiro. Vampiro. Vampiro, se llamaba a sí mismo Carvalho desde que unos años a esta parte se había descubierto a sí mismo catador de sangres jóvenes de muchachas que si bien podían ser sus hijas, el único problema moral que planteaban era cómo vencer el tabú estético del incesto. Algunas veces llevaba su reflexión hasta el límite de la teoría sobre la necesidad de revivir a través de un cuerpo joven, mecanismo de legitimación demasiado sofisticado para su gusto. Le gustaba la carne fresca, eso era todo, en proporción inversa a su audacia, cada vez más apocada por un sentimiento de ridículo y de vejez que no asumía como propio, sino presente, siempre posiblemente presente en los ojos de los demás. A distancia, Mortimer era un joven marido juguetón que besaba y era besado varias veces en una hora, mientras la tía hablaba y hablaba, como si quisiera dejar toda su filosofía como un patrimonio del que debiera disponer la pareja una vez hubiera ella regresado a Inglaterra. España le parecía a la dama un país excesivo para Jack y Dorothy y alguna vez Carvalho, desde una mesa próxima de categoría, captaba la deontología de la dama, especialmente preocupada por la poca seriedad que los latinos tienen con los productos de consumo.

—No compréis nada que no lleve la fecha de caducidad, y en la duda, abstenerse o comprar productos ingleses.

Una tarde la emplearon en un recorrido de charcuterías afamadas en busca de aquellas que contaban con proveedores ingleses. Y si no encontráis productos ingleses, que sean alemanes. Después de Inglaterra o de los países nórdicos, Alemania es la nación más seria del mundo. No es que sean demasiado simpáticos esos nazis, pero hay que reconocerles las virtudes que tienen, y la seriedad era una de ellas. Una tarde se acercó un desharrapado a pedir un autógrafo a Mortimer y como por ensalmo se vio rodeado por cuatro hombres que se obstaculizaban entre sí, mientras el desharrapado se volcaba sobre un Mortimer sorprendido más por sus defensores que por el supuesto atacante. La tía increpó en inglés al uno y a los otros y Carvalho tuvo la tentación de intervenir, pero no era la suya la función de intérprete, ni disponía de autoridad alguna para ordenar aquel caos a ocho voces, las de los cuatro policías, los ingleses y el destruido cazador de autógrafos. Finalmente los cuatro vigilantes coordinaron sus esfuerzos para romperle el autógrafo al intruso y si no hicieron lo mismo con la cara fue porque parte de los espectadores se pusieron de su lado, temiendo una relación desigual y no muy convencidos ante el tufillo prepotente a policía que emanaban algunos de los participantes en la trifulca. Mortimer dejaba hacer. Parecía un hombre pasivo que reservaba toda su capacidad de intervención para el campo, para aquellos breves metros cuadrados donde estaba su mundo, donde era el delantero centro, la punta justa, el no más allá de la vida y de la historia de miles de espectadores presentes, de millones de espectadores ausentes. Sólo los héroes podían actuar así, pensó Carvalho robándole el lenguaje a Camps O'Shea, y sintió la envidia que merecen los héroes, porque al menos éste sabía la dimensión de su reino y lo compartía con Dorothy.

Siguió a los tres ingleses perdidos en una parcela indeterminada del sur del mundo hasta su casa y luego telefoneó desde una cabina a Charo para interesarse por el estado de Bromuro. No estaba en casa. Pero sí encontró a Biscuter en el despacho y estaba al día y a la hora de la salud de Bromuro.

—Han tenido que correr porque esta mañana no podía levantarse. Charo ha cogido un taxi y lo ha llevado a urgencias, pero no se preocupe, jefe. Ella ha telefoneado y ha dicho que la crisis está superada.

La crisis superada, se repitió y se maravilló Carvalho de la capacidad de síntesis de Biscuter. Luego salió de la cabina y se contuvo a un palmo del moro que tantas veces le había llamado tonto. Sonreía levemente. Estaban en la calle y en un barrio de ricos. Ni el moro ni Carvalho se sentían en casa, pero tal vez el moro menos que Carvalho.

—Llámame Mohamed. A todos vosotros os gusta llamarnos Mohamed.

Asumió su condición de nosotros e invitó al moro a tomar unos vinos, en el supuesto de que su religión no le prohibiera tomar vinos.

—Soy un mal creyente. En Marruecos no bebo, pero en España sí bebo. Cuando estoy con otros de mi país, no bebo y ellos tampoco. No nos gusta dar escándalos. Dar escándalos es de tontos.

Tal vez era el único adjetivo peyorativo que conocía y Carvalho empezó a sentirse menos tonto que en la anterior ocasión y le perdió algo del respeto que le tenía, porque de saber controlar los adjetivos a no saber controlarlos medía todo un abismo de consideración.

Buscó un lugar pequeño y no demasiado lujoso para que el moro no se acomplejara y ante ellos apareció de pronto una pequeñísima taberna, inexplicablemente superviviente en aquella acera del paseo de la Bonanova, titulada Cervecería Víctor y nada más entrar Carvalho recibió cien informes visuales de que algo irreparable había pasado en su vida: había traspasado el dintel del tiempo. A este lado de la puerta, la Barcelona democrática, olímpica y *yuppie*, y al otro un rincón para la nostalgia de la España franquista, una madriguera color vino donde hasta las jarras de cerveza llevaban la bandera española y las postales eran señales de una identidad nostálgica: Onésimo Redondo, Ramiro Ledesma Ramos, el general Muñoz Grandes con la Cruz de Hierro, el coronel Tejero con los bigotes de hierro, Adolfo Suárez disfrazado de jefe falangista y acompañado del lema: «¿Juras, Judas?» Y vino El Nacional o coñac El Legionario. Y un diploma a Cervecería Víctor como defensor de *El Alcázar*, pero no era el Alcázar de Toledo de la Cruzada franquista, sino el diario ultraderechista de Madrid. El único signo progresista que había en el local era el moro y sin proponérselo, por el simple hecho de ser del tercer mundo. Por lo demás, la menor agresividad en los gestos de los parroquianos acodados en la barra, tomando chatos de vino de tonel o cañas de cerveza y aceitunas rellenas o sin rellenar, frugales, severos, algo entristecidos por la historia y atendidos por el dueño, tan parsimonioso y pacífico como ellos. La agresividad estaba en los emblemas y en los iconos, y la resignación histórica iba por dentro. Carvalho se sintió fascinado y observaba el estudio crítico que el moro estaba haciendo de todo cuanto veían.

—Franco. Aquí hay muchas cosas de Franco. ¿Es un museo?

—Todavía no, pero pronto lo será.

—Franco, un gran guerrero. Un tío de mi padre luchó con Franco en la guerra contra los comunistas.

El moro se había integrado pues en el local y no había nada que temer. La ideología del local era tan coherente que hasta los emblemas deportivos tenían un signo vertebrador de España: o del Real Madrid o del Español. Ni una fisura. Fundamentalismo. Puro fundamentalismo franquista, tan puro que el tiempo lo había hecho inocente, tan inocente como toda causa no sólo inútil sino convertida en arqueología sentimental. Dos parroquianos hablaban de la incierta campaña del Español y de la temporada gloriosa que le esperaba al Real Madrid con el refuerzo de Schuster. Meter a Schuster en el Real Madrid es como si la hermana de José Antonio Primo de Rivera se hubiera casado con Hitler. Europa hubiera sabido entonces lo que era bueno. Los más jóvenes no se planteaban Europa, sino que se limitaban a vacilar con el presente. Pero lo atractivo del local era la nostalgia, aquella nostalgia que a Carvalho le parecía tan odiosa como desarmada. En cambio el moro se sentía progresivamente a sus anchas a medida que bebía vino.

—Un Franco os haría falta. —Lo dijo el moro. El capitán de la mafia de la Barcelona Vieja—. Un Franco metería en cintura a tanto tonto y a tanto chorizo como anda suelto. Él haría ir a la gente derecha y no habría tanto robo, ni tanto asesinato. En mi país, de momento, todo va bien porque el rey es fuerte y no se deja tomar el pelo. Pero ya empieza a ir mal, muy mal, porque permite que haya socialistas, y hasta comunistas. Y Alá no puede ser amigo de los comunistas. De los socialistas, bueno, aún, pero de los comunistas no. Franco y Hassan hubieran hecho una gran cosa juntos.

No atendió la progresiva desgana de Carvalho y siguió expresándole su filosofía de la vida y de la historia y cada vez con más vocabulario, aunque de vez en cuando daba la nota exótica y pronunciaba alguna palabra en árabe o utilizaba refraneros en los que salían camellos y dátiles. Aquel moro se estaba revelando un muermo y un tópico. Y cuando Carvalho le devolvió al lugar y a la situación, preguntándole qué hacía él tan lejos de los límites de su territorio, los ojos del moro perdieron la luz alcohólica y recuperaron el recelo.

—Tú el otro día no me dijiste todo lo que querías saber y es importante que yo sepa tanto como tú. Siempre se ha de saber lo suficiente. Saber poco es de tontos y saber demasiado también es de tontos.

Ya volvía con la exasperante monoadjetivación y Carvalho se arrepintió de haberle sacado de la especulación ideológica. A los diez chatos de vino y un oleoducto de carajillos todo le parecía aún más maravilloso al marroquí, y de no llevar en el subconsciente una larga educación de apaleamientos y prudencias, a buen seguro que habría participado en las conversaciones y habría propuesto a los parroquianos cantar el himno de la Legión, que aseguró saberse de memoria.

—Algún día viviré en la parte alta de la ciudad, de cualquier ciudad. Alá es grande y los hijos de Alá hemos sido escogidos para devolver la razón al mundo. Hace veinte años nadie daba ni mil pesetas, ni cien pesetas por un árabe. Y ahora hacemos temblar al mundo entero. Piensa en el Jomeini o piensa en los ricos árabes que lo están comprando todo, os lo están comprando todo a vosotros. Hasta se han comprado esa montaña en la que vives, el Tibidabo. Seguro que la palabra es de origen árabe. Todos los nombres de pueblos de España son de origen árabe.

—Os lo habéis repartido bien. El Jomeini bendice la guerra santa, los jeques lo compran todo y tú te dedicas a robar en los barrios chinos.

—A nosotros nos dejan los restos. Pero otros árabes más listos y más ricos que yo llevarán la causa de Alá hasta estos barrios. Y os meterán en cintura a todos los tontos.

Carvalho ya estaba harto del moro. Pagó y le dio la espalda, pero el otro se sintió desvalido en aquel lugar sin el aval de Carvalho y salió tras él como si aún no le hubiera dicho todo lo que debía decirle. Anochecía y la acera había quedado casi solitaria. A Carvalho le bastaba enfilar cualquiera de las calles que subían hacia el Tibidabo para volver a casa, al moro le bastaba hacer exactamente todo lo contrario, y sin embargo la nostalgia de Carvalho estaba en aquel país de su infancia donde la miseria y la piqueta lo estaban desorientando todo, y la esperanza del moro era subirse sobre aquellas ruinas para escalar la ciudad de Basté de Linyola, de Camps O'Shea, de los futbolistas bota de oro. Estaba tan borracho el moro como Carvalho, pero se le notaba más, tanto que parecía hablar en árabe y no sólo lo parecía, sino que lo hablaba, y a un palmo de la cara de Carvalho.

—Deja de recitarme el Corán, Mohamed.

Pero siguió recitándole el Corán y de pronto Carvalho vio una pendiente solitaria que llevaba al garaje de un bloque residencial y nadie en cien metros a la redonda y le pegó un empujón al Mohamed aquel que le hizo caer al suelo y bajar rodando hasta estrellarse contra la puerta del garaje. Por un momento se tensó el cuerpo del hombre caído, como si le asistieran los actos reflejos de un animal acostumbrado a defenderse, pero llevaba dentro una botella de Vino Nacional y diez carajillos de coñac El Legionario, y tal como se tensó se destensó y sobre él cayó un Carvalho gratuitamente enfurecido que empezó a darle patadas y puñetazos hasta que una mujer gritó en lo alto de la pendiente y Carvalho recompuso el gesto y el moro se acordó de que estaba en territorio extranjero.

—Sé dónde vives, tonto.

—Si te vuelves a meter en mi casa te mato a jamonazos.

Cuando el árabe desapareció como una sombra que había recuperado la ligereza, Carvalho se replanteó su amenaza y empezó a reírse. A jamonazos. A jamonazos. Se imaginaba a sí mismo persiguiendo al moro con un jamón por garrote y le hacía tanta gracia que tuvo que sentarse para gastarse toda la risa y recuperar la capacidad de caminar. En lo alto de la cuesta le esperaba la dama acompañada de dos hombres jóvenes sentados en sus motos y con las manos jugueteando con los arranques que lanzaban bramidos de impaciencia.

—Lo he visto todo. A este hombre le ha asaltado uno de esos sucios moros y se ha ido corriendo.

—¿Le perseguimos? —propuso uno de los ángeles motorizados.

Carvalho hizo un gesto negativo con el brazo.

—No. No me asaltaba. Ese moro es inocente. He sido yo quien le ha atracado. No quería darme la chilaba y le he pegado.

—¿Qué dice este hombre?

—A veces los hombres muerden a los perros, señora.

—Está borracho.

Pronto se generalizó en el amplio corro que Carvalho estaba borracho y desapareció cualquier impulso de solidaridad. Carvalho les bañó con una mirada impertinente y se sintieron amenazados. Los jóvenes pusieron sus motos en marcha y cuando ya partían le llamaron jilipoyas y mamón. Carvalho saltó al centro de la calzada con las piernas abiertas y les increpó, les gritó que volvieran, que volvieran si eran hombres, y los coches empezaron a tocar las bocinas porque Carvalho se había convertido en el penúltimo obstáculo de su regreso a casa. Insultó a los coches y se metió en las sombras de las solitarias calles de lujo que salen del paseo de la Bonanova en dirección a las laderas del Tibidabo. Le dolía el cuerpo no por los golpes recibidos, sino por los que había dado y trató de explicarse la agresión como un acto de justicia hacia el pobre Bromuro o como un simple impulso racista. Pero no le gustaba ni una ni otra explicación y callejeó buscando una respuesta a un enigma que le ocupaba todo el cerebro.

—¿Por qué le habré pegado?

Repasaba todo lo sucedido, todo lo escuchado, toda la gesticulación del Mohamed y de pronto algo parecido a una luz se abrió en el recinto cerrado de su perplejidad.

—Se lo merecía, por tonto.

La mujer le creció sobre el sexo como una ampolla de cristal azul sobre el sexo, como una giganta de jabón sobre el sexo, como una tarde como la mejor tarde de su vida sobre el sexo entre hojas de árboles vivos pintados con lápices de colores Caran d'Ache sobre el sexo, la habitación era una campana de aire de abril en Santa Fe, Semana Santa, laurel y palma sobre el sexo, humedades de muslos y mármoles de una columnata hacia una mano tibia sobre el sexo, ojos de giganta y vuelo hacia una nube que le parpadeaba sobre el sexo lluvias blandas de luces troceadas sobre el sexo que no era suyo, sino él mismo mirón y centro de calidoscopio. Las orejas se le desprendían buscando alguna llamada que tal vez había existido, pero desde el techo de pronto azul pescador eran sus propios ojos los que le miraban y le reían caminos en el mejor mar que nunca había visto. Baja California. Cabo San Lucas. Pelícanos y leones marinos. Abanicos de pestañas que se cerraban con un sexo cortante.

—Basta.

Anochecía sobre su aturdimiento.

—Los días son más cortos.

Era la primera voz humana que oía desde hacía siglos y con ella le llegaba la coherencia, los puntos cardinales de aquella habitación de pronto horrorosa, y pegado a su piel sudada el sarro del colchón desnudo como el cuerpo de aquella mujer concreta que repetía:

—Los días son más cortos.

—¿Qué hora es?

Cuando lo supo primero sintió angustia y luego tardó unos segundos en adivinar por qué.

—¡El entrenamiento!

—¿A qué te entrenas tú, a esnifar o a follar?

El tono cínico de la mujer acabó por romper los cristales del encantamiento y Palacín se puso en pie de un salto, pero se le iba una parte de la cabeza, como si dentro del cráneo tuviera dos hemisferios irreconciliables.

—Dios. Cómo voy a entrenar así.

—Te pasará en seguida. Lo bueno se pasa en seguida. Respira hondo.

Ella volvía a tener el cuerpo feo y los ojos cínicos, pero alguna solicitud había en su voz.

—¿Dónde te entrenas?

—En un campo del Pueblo Nuevo, el Centellas.

—¿A qué jugáis? ¿A fútbol? ¿A tu edad? ¿Y ese equipo de qué es? ¿De un colegio de curas?

Él se vestía sin responderle.

—¿Y cobráis por eso?

—Cobramos. El campo es una mierda. Por no poder, no se puede uno ni duchar a gusto, ni cerrar la puerta del vestuario. Un día van a entrar y nos van a dejar hasta sin calzoncillos.

—Tienes un cuerpo bonito. Hacía tiempo que no me fijaba en el cuerpo de los hombres. ¿Todos los futbolistas están tan buenos y son tan tímidos como tú?

—Cada futbolista es cada futbolista.

—Me da risa que un tío tan serio como tú pueda ser futbolista.

Cuando vio que él se iba, se levantó de un impulso y le gritó con la voz incontrolada:

—¡Eh, tú! ¿A qué juegas? ¿Es que no se paga el servicio?

—Perdona, creí que entraba en lo que te di para la coca.

—La coca es la coca y la jodienda es la jodienda. Dame dos mil pelas al menos, corazón. ¿No te ha gustado mi polvo literario? ¿Qué más quieres? Sexo y cocaína.

Se guardó las dos mil pesetas en un compartimento del bolso mientras refunfuñaba algo sobre ese buitre que se pasa el día husmeándole el bolso y cuando se volvió, Palacín ya no estaba, pero gritó para que le oyera desde la escalera.

—¡No le digas nada a la Conchi! Esa guarra no tiene por qué enterarse.

Palacín estaba en el descansillo y anotó el mensaje en su cerebro, al tiempo que daba un salto para evitar el cuerpo tendido ante la puerta. El hombre expulsado del apartamento dormía en el suelo, con la respiración suave y los ojos a medio abrir. Pero bastó el movimiento de aire que provocó el salto de Palacín para que los abriera y se lo quedara mirando interrogante.

—¿Ha quedado algo para mí?

—¿De qué?

—De coca.

Palacín se encogió de hombros y siguió bajando la escalera.

—No pensáis en nadie. Todo para vosotros.

El hombre se alzaba sobre la baranda y tiraba por el hueco de la escalera quejas blandas que sólo él oía, luego se metió en el piso y avanzó vacilante en busca del dormitorio donde la muchacha trataba de que las medias no le bailaran sobre las piernas.

—¿Me habéis guardado algo para mí?

—Estoy hasta el gorro de ti, de este piso, de esta calle, de esta ciudad.

—Marta, chiquita, no seas mala, dame algo para mí.

—Estoy hasta el gorro, hasta el gorro de ti. Eres como un parásito que crece en mi coño. A los demás tíos me los desengancho, pero a ti no. Y todo porque según tú y tu padre te metí en esto, y os equivocáis. Tú te hubieras metido solito en cualquier sitio donde hubiera mierda. Eres mierda.

—Sólo una rayita, Marta.

—¿Qué vas a conseguir con una rayita si tienes ya las venas de yeso?

—Para vacilar un rato.

Ya estaba vestida y del mismo bolso donde llevaba

todo lo que tenía sacó un paquetito de papel blanco y lo tiró sobre el colchón. Cuando pasó al lado del hombre él quiso agradecerle el favor acariciándola con el dorso de la mano, pero ella lo apartó y se fue hacia la escalera. Luego, en la calle, el aire fresco del atardecer olía a gasolina y cubos de basura, aire estancado que no conseguía impedir del todo el resol del poniente. Recordó de pronto una película de ciencia ficción que había visto hacía algún tiempo, entre tinieblas de una ciudad contaminada los héroes se persiguen y se matan, una batalla entre hombres y robots de apariencia humana que de pronto termina con un viaje de huida del chico y la chica, hacia el sol, hacia el campo, de pronto de nuevo la luz, como si la ciudad fuera el fondo de un pozo. Pero tenía salida. Recordó antiguos planes de huida, pero se le había ablandado el mecanismo de recordar y el de pensar. Ya ni puedo recordar, pero un fragmento de un poema que había amado tanto como para memorizarlo le llenó el cerebro como un fogonazo.

> *Aunque acaso fui yo quien te enseñó*
> *quien te enseñó a vengarte de mis sueños*
> *por cobardía, corrompiéndolos.*

Libros y una máquina de escribir. Melocotones. Una conversación con su madre, de mujer a mujer, plácida, también un atardecer. ¿Cómo volver a todo aquello?

—¿Subirás luego?

Alza los ojos y allí está la señora Concha acodada sobre la baranda del balcón de su pensión.

—Subiré.

Y siguió caminando hacia la calle de Robadors, pero con tan progresiva desgana que acabó pensando que no quería llegar a su destino. Le habían quedado tres mil pesetas de la comisión de la coca y las dos mil que le había dado el futbolista, tenía los nervios tranquilos y pocas ganas de estar sola y recordar. Desanduvo lo andado y le gritó a doña Concha:

—Subo ahora.

La patrona le esperaba en la puerta y el café con leche en la cocina.

—Me apetece más de momento un bocadillo y un vaso de vino.

—Así me gusta. Tengo un vino muy bueno, de marca, un poco dulce. Pero muy bueno. A mí me gusta el vino de marca y algún requisito hay que darse. El dinero no te lo llevas al otro mundo. ¿No crees?

—Ya tendrá usted un rinconcito lleno de billetes verdes.

—Una libreta en la caja con poca cosa y lo demás en casa, por lo que pueda pasar. Pero bien escondido, porque de los seis huéspedes que tengo sólo me fío del futbolista. Bueno, y de un pensionista inválido que es más bueno que el pan.

—¿El futbolista tiene pasta?

—Pagó cuatro meses por adelantado y le he visto manejar pela larga. Un hombre solo y sin vicios.

—Todos los hombres tienen vicios.

—Pues vive muy sencillito. Mira, ven. Te enseñaré su habitación.

Una cama individual, la mesilla de noche rescatada de alguna casa de muebles viejos, un armario remendado con lomos de laminado plástico y una mesa sobre la que se amontonaba prensa deportiva cuidadosamente plegada y un marco para una fotografía: una mujer y un niño. Marta la cogió y estudió la belleza delgada de aquella mujer de boca poderosa y la risa entregada de un niño rubio de película.

—¿Y éstos quiénes son?

—Ni idea. Es muy reservado. Pero fíjate, fíjate en el cuarto de baño.

Una ducha y la taza sanitaria, sobre el lavabo, una repisa donde se ordenaban hasta la escrupulosidad la maquinilla de afeitar, el *spray* de espuma, el *after shave*, el cepillo de dientes y la crema dental, colonia, desodorante, cada cosa al lado de la otra en un orden que se revelaba inmutable, y tras el cristal del espejo tres estanterías llenas de *sprays* y botellas que no conservaban el olor ensimismado sino que lo esparcieron por la estancia, aroma de hospital.

—Todo linimentos y *sprays* contra el dolor muscular. Pero fíjate, tiene una reserva para un año.

—Una hormiguita. ¿Y dónde guarda los cuartos?

—Ni un duro. No sé dónde lo guarda. ¿Quién guarda el dinero en casa en estos tiempos?

—Usted.

—Pero tan bien guardados que a veces no los encuentro ni yo.

—A ver si un día le da un patatús y las ratas se le comen los billetes.

Se santiguó doña Concha.

—Niña. No hables de la muerte ni en broma.

El masajista se quejó porque alguien le había quitado la botella de linimento.

—Me voy a cagar en los muertos del que me ha quitado la botella de linimento.

—Que la tengo yo, joder. Que no te pongas así.

—Que aquí las friegas las doy yo. Que para eso estoy.

La botella pasó por distintas manos de jugadores a medio vestir o a medio calzar y cuando la recibió, el masajista la examinó al contraluz de la única bombilla cenital con su campana de lata. Un chino iluminado.

—Pues os habéis gastado tres cuartas partes y el domingo que viene os va a dar friegas vuestro padre.

—Échame un chorro de Reflex en la rodilla —le pidió Palacín.

—Así me gusta. Si hay que ponerse lo que sea lo pongo yo. Que para eso estoy. ¿Pero tú sales al campo con el Reflex por delante? Joder con la rodilla. La mimas más que a la novia.

El masajista era otro empleado de Sánchez Zapico, como el entrenador, y había algo de común entre ellos, una misma delgadez nerviosa, una misma mirada de animales importantes entre los cuatro puntos cardinales del Centellas, nunca fuera. El entrenador daba las últimas instrucciones.

—Tú, Toté, te quedas de defensa escoba, pero ojo con las coladas de Patricio, el once, que ése puede con Ibáñez, y no lo digo para acojonarte, Ibáñez, pero te lleva la ventaja de medio metro en cada pierna. A donde no lleguen tus piernas que lleguen tus cojones, Ibáñez. Si me anuláis a Patricio me anuláis al Gramenet, que el Gramenet es Patricio. Y tú, Palacín, muchos huevos, Palacín. Muchos huevos. Si te tengo que dar un consejo técnico, ahí va: huevos. Un delantero centro sin huevos es como una tortilla de patatas sin huevos.

—Como dijo Confucio —sonó la voz de Mariscal, centrocampista y estudiante de segundo curso de Ciencias de la Información.

—Tú, intelectual, a poner lo que tengas que poner. Tú mucho Confucio y pocos cojones. Tú juega con la cabeza levantada y la picha como punto de mira. Cuando veas a Palacín abriendo espacios, la pelota a dos metros por delante y ojo con el fuera de juego, mucho ojo con el fuera de juego porque hoy vienen de esos liniers que levantan la bandera como quien levanta la picha en un cuartel cuando pasan las chicas por la carretera. Recordad la jugada clave a balón parado: la ABD. A ver, ¿quién es la A?

—Yo —gritó Mariscal.

—¿La B?

—Presente.

—¿La D?

Palacín levantó el brazo.

—Eso es. Y tú, Monforte, en la barrera enemiga y codo va, codo viene, pero con tu gracia. Huevos. Muchos huevos, porque como perdamos hoy ya no vamos a tener categoría regional a donde descender. No es que nos vayamos a categoría regional, sino que la próxima Liga la vamos a jugar contra los equipos de la inclusa. Hoy debuta Palacín. No quiero que juguéis para él, ¿entendido? Pero sí que lo tengáis en cuenta porque los desgraciados que vengan a ver el partido estarán pendientes de Palacín. Y tú, Palacín, olvídate de tu rodilla, coño.

—Le pondré huevos en la rodilla.

—Eso quería oír. Venga, ¡las manos!

El entrenador del Centellas había introducido algunas técnicas psicológicas en el vestuario y la que cultivaban con mayor empeño era aquel momento de comunión, previo al partido, en el que los jugadores se unían en un todo cogiéndose las manos y gritaban: «¡Centellas, Centellas, todos a una!» Luego formaron una hilera patosa sobre las botas erosionadas por la dureza de los calveros sobre los que solían jugar, donde la hierba, cuando existía, era un simple recuerdo de sí misma, y subieron las escaleras de madera hacia el campo, con la habitual precaución ante el inexistente escalón cuarto, astillado desde la temporada 1979-1980. Las gradas estaban medio llenas o medio vacías, según la subjetividad aplicada, y de ellas salieron pocos aplausos y algunos pitos porque se recordaban las tres derrotas consecutivas sufridas por el equipo en los cinco partidos jugados de Liga. Pero cuando Palacín individualizó su presencia para ser fotografiado por un sobrino del presidente, recibió aplausos que le saludaban como una esperanza y no contuvo el gesto de levantar los brazos en forma de uve, con lo que los aplausos se acrecentaron y le cayeron encima como si sus brazos marcaran la dimensión de un cesto. Hacía ocho meses que no jugaba un partido de competición, desde la despedida del Oaxaca donde ya era un suplente y el aire del partido presentido le inundó los pulmones como una euforia dolorosa. Le tocó a él poner la pelota en juego, a la sombra de un árbitro gordo que empezó a sudar en cuanto hizo el esfuerzo de tirar la moneda al aire. La estructura de estadio, con pistas de impracticable atletismo alrededor, distanciaba al público y Palacín lo prefería, sobre todo desde que había necesitado empezar a desaparecer en el campo para disimular sus cansancios. Localizó con la mirada a su hipotético marcador del Gramenet: un joven camionero que tenía piernas como columnas cúbicas y un codo derecho legendario en la categoría regional preferente. Pedrosa también le había localizado y le medía a distancia, con la humedad del cazador en los ojos y una progresiva sensación de seguridad ante la aparente fragilidad de Palacín. Había recibido instrucciones alarmantes de su entrenador:

—Tú no tienes cintura, Pedrosa, recuerda.

—No. Ya lo sé. No tengo cintura.

—Pero al choque no hay quien te aguante. Piensa que Palacín es zorro viejo y que juega más sin la pelota en los pies que con la pelota en los pies. Piensa que tiene una rodilla de cristal, pero que por alto es la hostia, Pedrosa. Como le dejes saltar nos da un disgusto. Tú como si fueras plomo. Te coses a él como si fueras plomo y no dejes que te lleve la pelota a más de medio metro. En medio metro te deja sentado, Pedrosa. Que tú no tienes cintura.

—No, no tengo cintura.

Palacín retrasó la pelota en cuanto oyó el silbato del árbitro y corrió hacia adelante, al encuentro directo con su marcador. Se quedó ante él, de espaldas a la portería contraria, dificultándole la visión de la jugada que llevaba Mariscal subiendo la pelota por el centro del campo. Notó a su espalda la presencia poderosa, sudada, anhelante de Pedrosa y el contacto de su cuerpo como una pared de carne sobre la que recostó la espalda cuando vio que la pelota venía hacia él. Aprovechó aquel respaldo para girar sobre sí mismo y dar un toque paralizador al balón para situárselo a un metro de distancia, y cuando se despegó del marcador para iniciar la carrera hacia la portería, sintió el rodillazo en el muslo y trastabilló sin detener el impulso de avanzar, pero la pelota rebotó tontamente contra uno de sus pies incontrolados y se fue con otro. Hasta diez minutos después no le llegó el balón en similares condiciones y esta vez lo retrasó levemente, despegándose de su marcador y corriendo en paralelo a él con el cuero controlado para iniciar la vertical a la portería. Lo adelantó hacia el espacio abierto que se abría ante el defensa lateral derecho del Centellas y se fue de cara a la portería empujándose mutuamente con Pedrosa. La pelota voló por los cielos en busca de su cabeza y sólo pudo rozarla porque cuando iniciaba el salto recibió en la rodilla enferma el primer aviso de una de aquellas piernas cúbicas de su marcador.

—Como me vuelvas a dar en la rodilla, hoy sales del campo con los tacos marcados en la cara.

Pedrosa le escupió mientras ladeaba la cabeza y se fue a proteger a su portero que había abrazado la pelota y miraba a derecha e izquierda retador, por si alguien pretendía quitársela.

—Tiene detalles. Pero le faltan partidos.

—Y le sobran años.

Empezó a generalizarse el comentario entre el público tras sus cuatro primeros intentos de juego.

—A un delantero centro hay que darle tiempo.

—Como le den mucho tiempo a Palacín, se jubila. Ése tiene ya casi veinte años en cada pierna.

Terminó la primera parte y Palacín se sintió más cansado psicológica que físicamente. El entrenador proseguía la gesticulante e ininteligible recomendación que había iniciado desde el primer silbato del árbitro, como un animal electrocutado por el banquillo y en continua dialéctica electrizada con él. Ahora saltaba alrededor de los jugadores repartiendo reproches e insistiendo en la falta de constancia de sus aparatos genitales. Hubo un capítulo especial dirigido a él. El tono de voz más bajo y la sintaxis algo más ordenada:

—No te pegues a Pedrosa. Desmárcate. Leche, Palacín. Que tú ya sabes de qué va. A ese tío le ganas incluso tú en una carrera con el balón por delante.

La tropa cabizbaja se miraba las botas y algunos se cambiaban la camiseta sucia y sudada.

—¡Tú, Confucio! No te duches entre una parte y otra que te enfría los músculos. Te lo tengo dicho, joder. Que no vas a echar un polvo ni al Liceo. No te laves tanto, que pareces mi hija.

Cuando volvieron a salir al campo la caída de la tarde había ensuciado, envejecido, arruinado más la fisonomía de las gradas y de la breve tribuna donde Sánchez Zapico presidía rodeado de los directivos y sus familias. El presidente había repartido sus miradas entre lo que sucedía en el campo y la observación de Dosrius, confundido entre el público de tribuna, filosófico espectador aparentemente desinteresado de cuanto ocurría. De vez en cuando las miradas del presidente y del abogado coincidían y Sánchez Zapico entornaba los ojos para ratificar el acuerdo implícito.

—¡A un palmo, a un palmo!

Palacín había controlado la pelota, hecho un quiebro y Pedrosa se quedó sentado en el borde del área con su poderoso culo casi encajado en la tierra y entonces el delantero centro cruzó la pelota ante la salida del portero. Con lentitud cruel la pelota se fue separando de su destino de gol y salió a un palmo de la base del poste. El ¡uyyy! lanzado por el público y los aplausos dieron ligereza a la carrera de Palacín para recuperar su posición de partida y de reojo captó la mezcla de odio y disgusto contra sí mismo que le dedicaba Pedrosa. En la siguiente jugada Pedrosa fue al choque, pero Palacín ya lo esperaba y le clavó los tacos de la bota en el muslo con el pretexto de saltar sobre su pierna cúbica cruzada como una hacha. El árbitro hizo ademán de sacar del bolsillo la tarjeta amarilla, pero se limitó a cabecear colérico mientras trataba de recuperar imposiblemente la respiración. Luego la pelota se paseó diez minutos por el centro del campo, entre prudencias y torpezas que no conseguían alejarla de una tierra de nadie. Y fue en el minuto veintidós, como habrían contado los cronistas del partido de haberlos tenido. Fue en el minuto veintidós cuando Confucio, el estudiante, salió de su ausencia querida o no querida y regateó a tres jugadores del Gramenet para quedarse solo junto al poste derecho de la portería contraria y dar el pase de la muerte en dirección a Palacín. El delantero centro vio toda la portería para él y el portero le pareció un impotente, mezquina estatua de barro que debía machacar con un punterazo, para batirlo o para matarlo. La pelota salió malherida y cuando topó con la red enemiga la levantó como unas faldas, como levantan las faldas de las muchachas en flor los mejores vientos y la palabra mágica se hizo grito colectivo: ¡Gol! Desde el suelo Palacín miró al linier y luego al árbitro. El gol era válido, aunque los del Gramenet rodeaban al árbitro pidiendo fuera de juego posicional de Confucio.

—¡Qué fuera de juego ni qué leches! Lo he visto muy bien.

—Tú, árbitro, no puedes ver bien porque eres un cegato.

—Tú sólo ves la pela que te han dado.

El árbitro sacó dos tarjetas amarillas, la misma una, dos veces, como los amenazados por Drácula se sacan la cruz de entre los pechos, y los jugadores del Gramenet se relajaron, se desarticularon, recuperaron la pelota con urgencias nuevas para reanudar el juego, mientras los del Centellas interpretaban una alegría coral en torno de Palacín, enfebrecidos por el griterío de las gradas medio llenas o medio vacías, pero que les parecían las mismísimas gradas del coliseo más glorioso y poblado de este mundo.

—¡No os echéis pa tras! ¡No os echéis pa tras! ¡Adelante por los faroles! ¡Huevos! ¡Huevos! —gritaba el entrenador Precioso, en parte para animar a sus jugadores, en parte para animar al público de tribuna situado a su espalda.

Sánchez Zapico había combinado el aplauso, incluso el salto alborozado, con la recepción de la mirada irónica que le había enviado Dosrius. La presión del Gramenet hizo que hasta Palacín bajara a defender y cada vez

133

que sacaba un balón del área con la cabeza impulsada por su cuello largo, por un cuello que parecía un muelle, un grupo de espectadores se puso de acuerdo para gritar ¡Olé! Palacín había desorientado a su marcador y había cambiado los papeles impidiéndole que bajara a rematar, aprovechándose de sus torpes movimientos de animal poderoso pero ciego. El árbitro empleó el último jadeo que le quedaba para silbar el final del partido y algunos espectadores saltaron de las gradas en busca del tacto de los héroes. Dos niños tendieron a Palacín una libreta escolar y un bolígrafo para el autógrafo, y mientras lo firmaba sentía cómo le crecía desde los pies el cansancio profundo, mientras sobre sus espaldas caían las palmadas de reconocimiento de sus compañeros y correspondía al apretón de manos de quien minutos antes habría tratado de asesinarle.

—Enhorabuena, maestro.

—Hasta otra, matador.

Ya en el vestuario, el entrenador había hecho suya la victoria y la razonaba por el planteamiento táctico, aunque reconocía que en la segunda parte habían echado más huevos al juego.

—Confucio, si no fuera por esos pases que haces de vez en cuando...

—En todo equipo de fútbol conviene tener un jugador inteligente. Aunque sólo sea uno.

Los compañeros abuchearon a Confucio y Palacín aprovechó la parálisis general de autocomplacencia para aprovechar el vacío de las duchas y regalarse con las primeras y escasas aguas calientes. Luego, mientras se vestía, correspondió a la felicitación de Sánchez Zapico, un rostro en el que se había establecido la orografía del paisaje más cansado de este mundo. Palacín salió del campo y rechazó ofertas de acercarle a Barcelona en coche. Después de los partidos le apetecía andar y lo hizo a paso ligero, hasta alejarse del escenario y poder contemplarlo a distancia como si nunca hubiera tenido nada que ver con él. El campo del Centellas estaba cercado por barrios populares, barrios adocenados, de baratas geometrías, para inmigrantes anónimos que habían vegetalizado ventanas y terrazas en un intento soñador de incorporar la naturaleza a aquella pesadilla de cristal, cemento y ladrillos. El campo del Centellas era como una presencia contrastada y algo inútil, como un capricho del paisaje urbano, una ruina similar a las que los turistas visitaban en las afueras de Oaxaca atribuidas a los zapotecas o los mixtecas, como aquellas pirámides de Monte Albán que brotaban en el paisaje y entre ellas el Templo de los Danzantes, por unos atribuidos a los bailarines o por otros a un hospital precolombino destinado a los enfermos y los deformes. Y aquel estadio para el juego de la pelota donde la leyenda dice que el capitán del equipo vencedor podía extraer el corazón de su rival. Caminó hasta cansarse y adentrarse en otras ruinas, las de las fábricas abandonadas de Pueblo Nuevo, con sus hangares donde se oxidaban los rieles entre vegetaciones libres, o amenazantes volúmenes anochecidos que retenían una macabra belleza de su obsolescencia de ladrillo, especialmente patética en las chimeneas apagadas y torcidas que crecían hacia el techo de la noche, todo a la espera de la piqueta que haría posible el entorno de la Villa Olímpica. Cuando llegó al cementerio de Pueblo Nuevo cogió un taxi y pidió que le dejara en la calle del Hospital. La radio del taxista ultimaba la información deportiva. Mortimer. Mortimer. Mortimer. Había sido el triunfador de la tarde.

«—Jack Mortimer, bota de oro europeo de la temporada 1987-1988, y ya ídolo de la afición barcelonesa en esta prometedora temporada 1988-1989. Este hombre es de oro y hará que se llenen de oro todas las taquillas de los campos de fútbol de España. Devuelvo finalmente la conexión a nuestro estudio.»

Se separó de la línea recta del pasaje de Martorell que señalaba el regreso a casa y se fue en busca de los alrededores de la Boquería, de sus bares para negros y sus tertulias de mendigos en el parking de La Garduña. Al pasar delante del bar Jerusalem la vio sentada ante la barra, con un vaso pequeño de cerveza que contemplaba obsesivamente. Siguió su camino, pero se detuvo unos metros más allá y volvió sobre sus pasos. Quiso hacerse el encontradizo pero no supo.

—Mira quién llega, el futbolista.

—Pasaba por aquí.

—Me lo figuro. ¿Tomas algo? ¿Quieres una cerveza?

La aceptó pero apenas probó un sorbo. Quería decir algo que no se atrevía a decir.

—¿A qué has entrado? ¿Qué quieres?

—¿Puedes conseguir lo mismo del otro día?

—Siempre. Eso siempre. ¿Llevas dinero?

Palacín asintió y la muchacha se descabalgó del taburete como si le quemara el pequeño culo.

Basté de Linyola abrió el gesto para que el presidente de la Generalitat de Cataluña y el alcalde de Barcelona accedieran al ascensor del palco presidencial. A cambio recibió palmadas en la espalda y sonrisas de éxtasis.

—Ha sido un partido inolvidable.

—Enhorabuena.

—*Ja tenim equip!* (1) —exclamó el capitán general de la región militar, últimamente empeñado en demostrar que el ejército no le hacía ascos al idioma catalán «porque es uno de los tesoros de la pluralidad de una España única y unida, irrepetible».

Los directivos habían encendido Montecristos especiales en el momento en que Mortimer marcó el segundo gol y algunos de ellos repetían habano y calibre, pero era otro fumar. Ya no movían el puro en los labios como si fuera un invitado difícil de aposentar y mordido en su prepucio como un violador de boca, sino como un animal de compañía vestido de fiesta que entraba y salía de entre sus labios como un príncipe acariciado y relajadamente emisor de señales del humo de la felicidad. Las personalidades del mundo de la política y de la cultura especialmente invitadas para presenciar el debut de Mortimer se dejaban cazar por los entrevistadores radiofónicos y trataban de encontrar el lenguaje adecuado para conectar con su público político o cultural. Así, mientras uno de los representantes de Convergència i Unió, el partido del Gobierno autonómico, declaró que «... si este equipo va adelante, el país va adelante y viceversa», con lo que no se comprometía ni con el país ni con el equipo, ni juntos ni por separado, un intelectual orgánico del Partit dels Socialistes Catalans y diputado

(1) Ya tenemos equipo.

136

europeo dijo: «Hasta ahora se ha jugado desde el ensimismamiento y a partir de ahora el equipo parece dispuesto a redescubrir la otredad. Es la otredad donde se marcan goles, no en uno mismo.» Era el momento de los informadores radiofónicos que salían micrófono en mano a la caza de alientos ilustrados sin ambajes, ponían la frialdad metálica y reticulada del micrófono en los principales labios de la ciudad, como si ofrecieran un beso helado y hertziano a cambio de relaciones públicas absolutamente gratuitas. Y los espectadores que las bocas del estadio vomitaban hacia la tarde oscurecida por el reciente cambio de hora de verano, habían conectado sus transistores, para una vez presenciado el partido, no perderse ni un detalle de sus postrimerías. Si el presidente Basté el domingo anterior, tras el partido jugado en campo contrario, había declarado: «El debut de Mortimer dará otro aspecto al equipo», este domingo era muy capaz de modificar sustancialmente su premonición: «El debut de Mortimer ha dado otro aspecto al equipo.» Había que escucharlo. Era indispensable para la supervivencia durante los cinco días laborables que se avecinaban. Y los resultados de los demás encuentros. Y las quinielas. Y las clasificaciones. Y los incidentes. Y las calificaciones a los árbitros. Los jugadores habían dejado de ser los agentes de la fiesta y ahora un ejército de jóvenes radiofonistas, micrófono en ristre, se predisponían a exprimir gota a gota el elixir residual de las batallas y sus héroes.

—¿Pere Rius? ¿Pere Rius? ¿Central de datos?

No, no era un reclamo hacia la central de Huston previa al lanzamiento espacial.

—Pere Rius, desde su central de datos, nos va a decir cuántos minutos ha controlado el balón Mortimer.

—Ocho minutos.

—¿Cuántas veces ha disparado a puerta?

—Seis.

—¿Cuántos goles?

—Dos y ha dado uno en bandeja a Mendoza.

—Más eficacia, imposible. Mortimer ha demostrado hoy que es el delantero centro que necesitaba el equipo. En la quinta jornada de Liga la incorporación de Mortimer ha dado un mordiente a la delantera del que carecía desde hace dos temporadas. Ha bastado una tarde para que el público descubriera en Mortimer lo que es: el cacique del área. Pocas veces hemos visto a un jugador dotado de tal instinto de área. Se desmarca. Abre espacios. Sabe esperar la pelota de espaldas a puerta y revolverse en un palmo ya con una pierna preparada para el disparo.

El público se retiraba lentamente del estadio con las caras a la media luna por la sonrisa de satisfacción y en los labios curvados el nombre de Mortimer colgaba como una guirnalda de fiesta. Carvalho, junto a la escalera de descenso a los vestuarios, aguardó a que se estableciera la impresionante soledad de las gradas y luego fue en busca de Camps O'Shea que precedía al entrenador hacia la sala de prensa. Discretamente apostados, la docena de guardias de seguridad privados mantenían la tensión en los músculos y en las miradas. Los focos de las distintas cadenas de televisión bañaban la puerta de los vestuarios de luces crudas que sorprendieron a los jugadores a medida que iban saliendo y se dejaban prender por las preguntas recién enhebradas.

—¿Qué diferencia habéis notado con la incorporación de Mortimer?

—¿Por qué le habéis pasado tan pocas pelotas a Mortimer?

—¿Qué impresión os causa cuando el público comenta que sois diez y Mortimer?

—¿Empieza una nueva era, la era Mortimer?

—¿Qué se siente jugando junto a un *super crack* como Mortimer?

A la cruda luz de los focos, a Carvalho los jugadores le parecían tan jóvenes que no le recordaban los sólidos y decididos figurines uniformados que había visto correr por el campo, investidos de una significación de héroes de la tarde, como hubiera dicho Camps O'Shea. Más bien le parecían chicos sorprendidos de una figuración que les excedía y con tantas ganas de salir en la fotografía como de volver a casa para repasar el álbum de las propias y sorprendentes fotografías triunfales de aquella tarde. Y Mortimer, como una sombra rubia que aceptaban porque les regalaba el protagonismo de ser los privilegiados compañeros del triunfador. Y cuando fue el mismo Mortimer quien quedó enmarcado en el diutel de la puerta 1, ya sólo hubo cámaras y micrófonos para él.

—¿Has rendido esta tarde en un cien por cien?

—¿Dos goles por partido va a ser tu promedio, como en Inglaterra, a lo largo de toda la Liga?

—¿Qué diferencias encuentras entre los defensas españoles y los ingleses?

—¿Te ha producido impresión cuando el público ha coreado tu nombre después del segundo gol?

Mortimer utilizó a un traductor que el club había puesto a su servicio para explicar que todo el mérito había sido del trabajo de conjunto del equipo y de la estrategia del entrenador. Al intérprete le sobraban las palabras porque estaba considerado como uno de los mejores traductores de Joyce al catalán y Camps O'Shea lo había reclutado, a manera de beca, para que entre servicio deportivo y servicio deportivo pudiera seguir en el empeño de traducir *Dédalo*, después del éxito, selectamente minoritario, que había conseguido con su versión del *Ulises*. Ahora parecía balbucear cuando contestaba a los periodistas como si Mortimer fuera su ventrílocuo, incluso hablaba en castellano o en catalán, según la pregunta provocadora, con el acento inglés convencional que se atribuye a los ingleses cuando hablan en cualquier otro idioma. Mortimer reconoció a Carvalho y le guiñó un ojo, sin perder la sonrisa de adolescente que se deja querer, consciente de su papel de talismán salvador del sentido de un domingo que ayudaría a miles de personas a afrontar la sinceridad del lunes con la esperanza de otro domingo, de otra exhibición de Mortimer, de otros goles sobre los que construir una nueva leyenda. Carvalho siguió la turba de insistentes periodistas, fotógrafos y cámaras, insaciables en su deseo de que Mortimer siguiera contestando preguntas de todos los domingos, pero en este caso magnificadas por la magnificencia del astro. Camps O'Shea llegó a tiempo desde la sala de prensa donde escasos periodistas desganados habían cumplido el ritual de preguntarle al entrenador lo de siempre, para ayudar a la nueva estrella a abrirse camino hacia su Porsche jalonado en sus cuatro esquinas siderales por cuatro guardias de seguridad.

—Venga, chicos, dejadle marchar que tenemos toda

la Liga por delante para vaciarlo. Dejad algo para el próximo domingo.

Todavía un micrófono se pegó a los labios de Mortimer en el momento en que se sentaba ante el volante y cuando arrancó el coche casi se llevó el brazo del portador del micrófono, que volvió a la boca de su portador para dar remate final a dos horas de comunicación con el público.

«—Mortimer parece satisfecho, pero nos ha confesado que aún no está al cien por cien de su rendimiento. El bota de oro europeo de la temporada 1987-1988 aún debe aclimatarse a las condiciones del fútbol español y aún debe pasar por una experiencia que ha hecho fracasar a grandes jugadores extranjeros. Una cosa es jugar en campo propio, arropado por una hinchada que protesta a la menor entrada, y otra hacerlo por esos campos de España donde el entusiasmo de los defensas a veces es tan excesivo que más bien parece otra cosa. Devolvemos la conexión a nuestros estudios centrales no sin antes dejar constancia de lo que nos ha declarado el entrenador en un rasgo de sinceridad que le honra: con jugadores como Mortimer cualquier entrenador debe triunfar. Le cogemos la palabra, *mister*. Si usted no triunfa no será por culpa de Mortimer. Es pronto para echar las campanas al vuelo, pero salimos de este gran estadio con la impresión de que un nuevo dios ha subido a los altares de esta ciudad: Jack Mortimer, bota de oro europeo de la temporada 1987-1988 y ya ídolo de la afición barcelonesa en esta prometedora temporada 1988-1989. Este hombre es de oro y hará que se llenen de oro todas las taquillas de los campos de fútbol de España. Devuelvo finalmente la conexión a nuestros estudios.»

Carvalho salió al exterior del estadio en la retaguardia de los espectadores movidos por una sabia torpeza de hormiguero de domingo, como oliendo el rastro de los que le precedían y despojándose poco a poco de su condición de sujeto colectivo, recuperando su propia memoria, el sentido de sus pasos de regreso a casa y a la realidad cotidiana. La noche había caído de pronto, como ayudando a expulsar del estadio y sus alrededores a la multitud, y los horizontes más inmediatos de la ciudad estaban ocupados por regueros de gentes y coches que trataban de huir de aquel escenario que ya había dado de sí todo lo esperado. Algunos grupos de jóvenes cometían la ignorada redundancia de dar vivas al club, pero se daban vivas a sí mismos y no había otro tema de conversación que masticar una y mil veces las jugadas, los goles de Mortimer. Junto al gran estadio se alzaban las restantes instalaciones deportivas del poderoso club, aunque nadie había podido evitar que siguiera en su sitio el cementerio de una villa antiguamente soberana y hoy engullida por la gran Barcelona. A Carvalho le rondó el recuerdo de que en aquel cementerio estaba enterrada una vieja gloria del mismo club, uno de aquellos jugadores cuyas hazañas eran tan inventadas como reales, dentro de una leyenda áurea imprescindible también para las creencias menores. El jugador había pedido ser enterrado allí porque así, cuando ya no pudiera ver los goles en el estadio, al menos desde la tumba podría adivinarlos a través del griterío del público. Posiblemente podrás oír los goles, pero ¿sabes quién los ha marcado? Allí estaba Carvalho ante la verja del cementerio, en un diálogo mudo con la vieja gloria, pieza del collage de su infancia cuando lo reproducían como reclamo de los carteles anunciadores de los partidos del domingo enganchados tras los cristales de los establecimientos más poblados de la calle: la obligatoria panadería de obligatorio pan negro de posguerra o la tintorería donde florecían las cuatro hijas de la señora Remei, cuatro pechugonas en flor que recorrían la calle bajo una lluvia de silbidos lascivos, copropietarias de unas carnes impropias de una posguerra de un racionamiento general e igualmente obligatorio.

—Los goles de hoy los ha marcado Mortimer —dijo Carvalho en voz alta ante la verja y quedó a la espera de una posible respuesta.

Inútilmente. Cabeceó dudando de su propia cordura y llegó hasta su coche, abandonado por todos los demás y en una posición excéntrica de coche flotante en la desnuda soledad de una acera. Orientó el morro hacia Vallvidrera, en los altos del horizonte, y conectó la radio dedicada a masticar una y mil veces los acontecimientos futbolísticos de la tarde, una y mil veces los resultados, las quinielas, las clasificaciones, las preclaras respuestas de entrenadores y jugadores, previsiones de futuro dotadas del don de la profecía olvidable, sin otro testigo de cargo que la fugacidad de las ondas hertzianas. El run run de las informaciones se convirtió en un paisaje sonoro de fondo mientras hacía añicos mentalmente cualquier sospecha de que el caso Mortimer tuviera la más pequeña verosimilitud. ¿Quién va a matar a este chico? ¿Por qué? ¿Para qué? Cada día que pasaba engrosaba la minuta, pero a Carvalho le molestaba el trabajo inútil aún más que el útil. Trabajar cansa. Tanto si se trabaja útilmente como inútilmente. Algo le obligó a devolver su atención a la radio. Dispuestos a vaciar las arcas hasta de los restos de serie de la expectación deportiva, el locutor había dado los resultados de los partidos de tercera división y de los de categoría regional preferente y de pronto un resultado, un nombre encendió en el almacén de la memoria de Carvalho un rincón donde habitaba un olvido que en realidad era recuerdo:

—Centellas 1-Gramenet 0.

Centellas. Aún existía el Centellas. El recuerdo era una ruta seguida con su madre en los años cuarenta. Salían de la ciudad, unas veces hacia el sur, otras hacia el norte, en busca de casas de campo donde el mercado negro complementaba los rutinarios y escasos alimentos de la cartilla de racionamiento. Hacia el norte, entre huertos y barracas de agricultores de oficio o de domingo, se alzaban los muros revocados con cemento y ultimados por una cresta de cristales rotos del Centellas Futbol Club. Tanto por el nombre, como por todas las significaciones que se le ocurrieron, le pareció un club, un equipo del país de su infancia, y descubrir que aún existía, que el Centellas aún podía ganar por uno a cero, y al Gramenet, le pareció como si de pronto hubiera encontrado en el fondo de un bolsillo del pantalón un mendrugo de pan negro de posguerra.

Dosrius asintió:

—Sí. Uno a cero.

—Las cosas no marchan.

—No hay que precipitarse.

—El tiempo se nos echa encima. Lo que puede reconvertir la recalificación urbanística del campo del Centellas en un negocio es controlar el acuerdo cuando nadie sabe que va a existir tal acuerdo. Me parece que quedó claro.

—Paciencia, Basté.

—Tengo mucha paciencia y tú lo sabes. La paciencia es inteligente casi siempre, menos cuando es una tontería y en este caso la paciencia es una tontería. No me fío de Sánchez Zapico.

—Es el más interesado. Sabe que lo prefabricamos como presidente del Centellas y que está allí para eso. Pero tiene razón cuando pide que le dejemos hacer a su aire.

—Dosrius, el equipo ha ganado y eso crea afición. Imagina que en el próximo desplazamiento vuelven a ganar. Más gente al campo, todos los bares del barrio empezarán a llenarse de fotografías del equipo, los niños... ¿Quién propone en ese clima comprar el campo y clausurar la sociedad?

Dosrius abrió su portafolios y jugueteó con unas notas, sin atreverse a dar al encuentro con Basté de Linyola el aire de una conversación de negocios. Sabía que a Basté le gustaban los rituales, si eran breves, y había aprendido a ser tan litúrgico como breve. Basté recuperó la serenidad y el asiento tras de su mesa de palisandro y le indicó que podía empezar.

—El error de Sánchez Zapico ha sido precisamente tratar de equivocarse demasiado. A fines de la temporada pasada la junta directiva del Centellas le presiona para que refuerce el equipo. Se han salvado por los pelos del descenso y eso implicaría la muerte. Si quieres te enseño el control de taquilla. Bien. Sánchez, que no tiene un pelo de tonto, les vende que puede contactar con Alberto Palacín, un delantero centro que incluso estuvo en tu equipo, hace unos diez años, cuando era una gran promesa y había actuado varias veces en la selección nacional. Recuerda que le pegó una entrada Pontón, aquel carnicero, y lo dejó para el arrastre. Luego fue, eso, arrastrándose. Se coló en la Liga americana, luego en el Oaxaca y terminaba su último contrato cuando le llegó la llamada de Sánchez Zapico. Me lo consultó y le di el visto bueno. Era un jugador con cierta leyenda, que había creado memoria, pero acabado. Su vida personal es un desastre. Separado de la mujer y cocainómano.

Dosrius alargó la pausa para comprobar el efecto de la palabra en Basté. Fue un breve parpadeo, pero lo suficiente para que le notara interesado por la información.

—Desde que llegó a Barcelona le he hecho seguir y él mismo se ha metido en la boca del lobo. Buscó una pensión barata en una calle del barrio Chino o como se llame ahora, porque ya no me aclaro con lo de Raval, Barcelona Vella, barrio Chino. En fin. Hubo que esperar unas cuantas semanas que dedicó a conectar con el equipo, buscar a su mujer y a su hijo. Sólo salía de la pensión para ir al campo o para tratar de localizar a la familia. Su mujer vive con Simago, no sé si te recuerda algo este nombre. Era un antiguo traficante de jugadores, que se apuntó algunos tantos en los comienzos de los setenta, bueno quizá algo más. Pero luego ha ido de capa caída y tan mal que ha tenido que marcharse a América porque le perseguían los acreedores por todas partes. Palacín descubre que su mujer se ha marchado y empieza a ponerse nervioso. Un día conecta con una putilla de la calle donde vive, a la que utiliza como camello y además se lo pasan bien en el apartamento de la putilla, bueno, a todo se le llama apartamento. Por lo que me cuenta el informador, es una cueva miserable en la que la putilla vive con... agárrate bien que te vas a caer. Vive con Marçal Lloberola, el hijo menor de Lloberola... repito. Lloberola, el rey del desguace, como le conocen todos en el puerto. Un fortunón y cien años de mandar en el puerto de Barcelona y en cualquier desguace, la familia Lloberola. La chica, la putilla, es una tal Marta Becerra, compañera de estudios del chico Marçal Lloberola. Están amontonados desde hace casi diez años y son drogadictos. Pues bien, Dios los cría y ellos se juntan. Palacín va a parar a la chica y se ven y esnifan por primera vez hace seis días.

—¿Ha habido una segunda vez?

—La ha habido. Ayer noche. Al acabar el partido, Palacín estuvo deambulando solo por los alrededores del campo, luego cogió un taxi que le dejó en la esquina de la calle del Hospital con el pasaje de Martorell. Hizo todo lo posible para volver a encontrar a la putilla y otra vez se fueron a buscar coca a la plaza Real, al piso, en fin, lo de siempre. Está enganchado y un día u otro se va a romper. Sin su concurso, el Centellas no existe y ya ha sido un milagro que ayer marcara el gol, pero tiene maneras y quien tuvo retuvo. Yo estuve en el campo y puede hacer afición, es evidente. Se lo dije a Sánchez cuando nos hicimos los encontradizos y él estaba preocupado. Lo buscó como el principio del fin y puede complicar la cosa.

—Cocainómano.

—Cocainómano.

Basté arrugó la nariz.

—No me gusta este asunto. Puede ser muy sucio, Dosrius, y yo no puedo ensuciarme.

—Para eso estoy yo, Basté.

—No he querido decir eso.

—No lo has dicho tú. Lo he dicho yo.

Basté había utilizado a Dosrius como abogado siempre que había afrontado un negocio complejo, de esos negocios que su ex mujer le habría recriminado como especulador y cínico, para un hombre que desde los treinta años había conseguido construir una imagen pública de honestidad democrática y audacia de empresario privado que predicaba la filosofía del neoliberalismo creador con su propio ejemplo. Dosrius había adivinado desde el principio que su papel era arreglarse con los datos que le entregaba Basté y ofrecerle las soluciones sin explicarle los procedimientos y haciéndose exclusivo responsable de los mismos. La operación de los terrenos del Centellas implicaba a más de una docena de constructores e industriales complementarios que depositaban en Basté su confianza en un hombre de negocios con suerte y con crédito social, incluso aceptaban que en las escasas reuniones discretas que habían tenido, Basté les situara en sillones más bajos e incómodos, mientras él movía su bien conservado esqueleto y sus brazos de concertista sobre un sillón giratorio Charles Eames que ya su padre había hecho importar en los años treinta y que Carles Basté de Linyola había llevado consigo a través de todas sus oficinas y despachos, como un fetiche de la buena suerte. En aquellas contadas reuniones, Sánchez Zapico aportaba su brutal ordinariez y su astucia de empresario ratonil, Dosrius la claridad técnica y Basté la bendición apostólica. Aunque en el pasado su nombre figurara entre los príncipes predilectos de la democracia, el definitivo respeto de sus socios se lo había ganado desde que presidía la junta directiva del club de fútbol más poderoso y rico de la ciudad. Aquel cargo lo entendían. Los otros no. Cualquier cargo que no fuera jefe de Gobierno, ministro o presidente de la Generalitat no lo entendían o les parecía de un mérito menor para la enjundia de un personaje en el que su aura era superior a su *curriculum*.

—Tú sabes mejor que nadie que el factor tiempo es esencial. Lo tenemos todo preparado. La oferta a la junta directiva: viviendas, parque público y zona de servicios con guardería, centro cívico y local para la tercera edad incluido. El ayuntamiento nos pone medallas y las ganancias pueden ser de fábula. Pero como la cosa se pudra durante demasiado tiempo, los buitres se van a echar encima y no tenemos ninguna razón para ser los primeros.

—Sánchez Zapico es determinante.

—Sánchez Zapico es seguro mientras no tiene más remedio que ser seguro. Es un trapero. Poco más que un trapero enriquecido y un fabricante de tonterías, ¿qué se puede esperar de un fabricante de peladillas?

—Manos libres.

—Tus manos libres.

—Y las tuyas limpias.

—No tenías que haberlo dicho.

Estaba molesto. Ni siquiera aceptaba la sombra de una duda sobre sí mismo, ni en poder de los demás, ni en su propio poder. Le gustaba mirarse en el espejo por las mañanas y aceptarse como una imagen correspondiente a la que la ciudad tenía de él. Cada cual tiene su papel y el suyo era el de la respetabilidad.

—He pensado...

—Me parece muy bien.

—No, no temas. No quería contarte la solución que se me ha ocurrido, pero no puede ser plácida, eso debes aceptarlo, y Sánchez Zapico se va a poner nervioso. De hecho es una jugada de jaque y ya le he dado un tiento el otro día y no le gustó. Se me plantó en casa a las ocho de la mañana y tiré pelotas fuera, pero no es tonto. No le subestimes porque fabrique peladillas.

—No le subestimo. Me limito a no jugar al golf con él. Ha conseguido ser el hazmerreír del golf de Sant Cugat y del de Pals. Hasta los *caddies* se vuelven cómicos cuando van con él y esa mujer que tiene que parece una peluquera de comedia de costumbres. Cuánta zafiedad.

—En cuanto yo mueva las piezas, Sánchez Zapico querrá una reunión del grupo y tú debes estar preparado. Es un hombre de cuello corto y embiste con la cabeza. Te recuerdo el *dossier* que preparé sobre sus actividades y especialmente el apartado dedicado al contrabando de material fotográfico en los años sesenta y las putitas que ha ido manteniendo hasta que ha descubierto las casas de relax.

—Ni lo he mirado.

—Pero guárdalo bien guardado. No creo que sea necesario que tú lo exhibas, lo haré yo, pero él se revolverá y de mí sabe cosas. De ti, nada. De ti nadie sabe nada.

Aprovechó Dosrius el silencio que siguió para darse una vez más cuenta de que todo lo que él sí sabía de Basté de Linyola no podía macularle ni el borde del puño blanco de su camisa, porque a todos los efectos era Dosrius el urdidor y el responsable. Diez años de abogado laboralista, pagado por el dinero sobado de las organizaciones obreras clandestinas. Otros diez de abogado de empresarios y casi siete a la sombra pulcra de Basté de Linyola, como paje de su inmaculado patriciado. De los zapatos comprados en Can Segarra, que le habían destrozado los pies, a los zapatos italianos o a la medida y a la costumbre de viajar sin ropa de cambio y comprársela de nuevo en cada ciudad, como en busca iniciática de una nueva piel.

—Me pondré evangélico, Dosrius. Lo que tengas que hacer hazlo pronto.

—Te contestaré en evangélico, Basté. Que la paz sea contigo y con tu espíritu.

—¿Te gustaría marcharte, Marçal?

—¿De dónde?

—De aquí. De esta ciudad. Probar otros aires.

—¿Con qué?

—Yo viajo con el negocio puesto.

—Para eso no hace falta marcharse.

—Tienes razón.

Estaban abrazados como dos náufragos sobre el colchón islote flotando en un mundo mareado.

—Qué bien me ha sentado.

—¿Te gustaría que nos fuéramos?

—De España.

—Da igual. Tener carretera por delante.

—¿Adónde?

—Qué más da.

Él había alzado medio cuerpo desnudo sobre un codo y la examinaba, ensimismada, con los ojos fruncidos como si buscara en algún lugar de las vigas un agujero por el que se vaciarían sus vidas como por un sumidero liberador.

—Aprovechemos este momento dulce, Marta.

—Este momento dulce.

—No te rías de mí. Soy casi feliz.

—Aprovechemos este momento dulce, tienes razón. Si seguimos aquí, ¿qué nos espera? El infierno de cada día. La mierda de cada día.

—Estaría bien marcharse, tienes razón. Me gustaría ir a un sitio donde hubiera mar. Aquí hay mar, pero como si no lo hubiera. Marruecos. Me gustaría mucho ir a Marruecos.

—Podríamos llegar hasta el desierto.

—Podríamos llegar hasta el desierto —repitió él ya convencido y añadió—: Pero ¿con qué? ¿De dónde sacamos el dinero? Nos ponemos a hacer autoestop y no nos cogen ni los ciegos. Recuerda lo que nos pasó este verano en Port de la Selva.

—Necesitamos dinero.

—Si piensas que puedo pedírselo a mi padre, quítatelo de la cabeza. Incluso se ha puesto un guardia de esos privados y se lo ha puesto para que yo no me acerque a un kilómetro a la redonda.

—¿Quién piensa en tu padre?

—¿En qué piensas entonces?

—De momento no pienso. Calculo. Huelo. Imagino. Hazlo tú también. Una mañana, muy temprano, salir de esta madriguera y dejar a la espalda todo esto y por delante todo, absolutamente todo. ¿Recuerdas aquella película de los robots y el chino? No. Tú ya ni recuerdas.

Ahora le miraba como a un monstruo que incomprensiblemente fuera su compañero de cama y de vida.

—Tienes el cerebro licuado, Marçal.

—Pues mira que tú...

Pero le daba la razón. A veces le parecía que tenía el cerebro licuado y ni siquiera podía mirar a derecha o a izquierda sin notar los vaivenes del líquido.

—¿Cuántos años tienes?

—No sé. Tal vez treinta.

—Treinta y dos. Como yo. ¿Cuánto tiempo crees que vas a durar tal como vas, tal como vamos?

—Tiempo —musitó él desde una cierta perplejidad.

—Aún nos queda tiempo —le dijo ella mientras le agarraba un brazo con una mano—. Necesitamos dar un paso para poder saltar. ¿Tú estás dispuesto?

—Yo qué sé. Estás vacilando, Marta. Estás de buen humor porque vacilas. Cuando estás de buen humor siempre vacilas.

—Aún nos queda tiempo y necesitamos dinero.

—Y dale. Claro.

Y buscó todas las posibles fuentes de dinero sin que le viniera a la imaginación otra cosa que el rostro adusto de su padre negándoselo o aquellas pesetas siempre insuficientes que Marta llevaba en el bolso.

—Imagínate que cambiamos de aires, que tenemos suerte y que llegamos a una ciudad de esas en que todo el mundo va vestido de blanco y lleva sombreros panamá. Con ventiladores en los techos y jarras llenas de refrescos de colores bonitos y que tú y yo somos el señor y la señora Fulano de Tal o Fulano de Cual.

—Una ciudad de esas con billares.

—Un billar. Eso es. Un billar.

—Yo me afeitaría la barba y me dejaría un bigote muy fino.

—En invierno llevarías un fulard de seda y en verano camisas de seda.

—Yo tenía camisas de seda. Me gustaba mucho la seda y mi madre me regalaba una camisa de seda cada cumpleaños.

—Por eso.

—¡La seda! No me había vuelto a acordar de mis

camisas de seda. ¿Qué habrán hecho con ellas? Deben estar en mi casa. Y son mías.

—Tendrías nuevas camisas de seda. ¿Te imaginas con una camisa de seda e inclinado sobre una mesa de billar? Has de estar muy guapo jugando al billar. Tenías tipo de jugador de billar. Y todo el mundo se preguntaría: ¿quién es ese chico tan guapo que juega tan bien al billar? Y yo quizá sería la dueña del local.

—Te sentaría muy bien ser la dueña del local. Te lo digo en serio. Tienes un no sé qué de dueña.

—Y todo el mundo se preguntaría: ¿de dónde han venido la señora y el señor Fulano de Tal? Y tú y yo les daríamos pistas falsas. Me encantaría que se creyeran que somos australianos. Toda la gente debería ser de Australia.

—Podríamos irnos a Australia.

—¿Por qué no? A un sitio de esos donde se empieza de nuevo.

—De hecho somos casi licenciados. Podríamos dar clases de algo.

—De snife y jodienda. Imbécil.

Todo volvía a ser como antes. Incluso era como antes el hielo de la voz de Marta y la ferocidad de sus ojos con que zarandeaba su desconcierto.

—Pero ¿qué te pasa, tía? ¿Ya vuelves a subirte por las paredes?

—¿De qué vas a dar clase tú? Dime. Eso es volver al pasado, como ir por la vida de arrepentido, y no es eso. Hay que dar un salto. Como si acabáramos de nacer.

—Ya te entiendo. Y me gusta.

—Ahora que estás sereno, escúchame bien. ¿Qué estarías dispuesto a hacer para conseguirlo?

—Daría diez años, veinte años de mi vida.

—No seas tan espléndido con lo que no tienes. Basta media hora. En media hora puede cambiar nuestra suerte.

No quería irritarle demostrándole su ceguera ante lo que para ella era evidente y prefirió fingir que meditaba a la espera que ella le desvelara su propósito. Se entretuvo imaginando otras posibilidades desesperadamente y de pronto el corazón le dio un sobresalto.

—¿No querrás...?

—¿No querré, qué?

—No querrás que demos un golpe.

—Rebaja el lenguaje, vida. Eso es de cine.

—Un atraco o algo de eso.

—Algo de eso.

—Marta, yo no tengo cojones para eso. Para dar un tirón, bueno. Pero no tengo cojones para arriesgarme a que me metan en la Modelo durante años. Me moriría a los tres días. Nos separarían.

—Un tirón lo has dado.

—Eso sí.

—Pues es algo parecido.

—Con un tirón no sacas como para irte.

—Es casi un tirón y huelo a dinero, dinero largo y un poco pringoso, pero largo. Ven.

Salió del colchón con una mano tirando del brazo de él y le hizo seguirla a trompicones hasta la ventana. En la calle hervían los rumores de la tarde refrescada y el sol coronaba de oro triste los últimos pisos de la calle de Robadors.

—Ahí lo tenemos. A treinta pasos. Al alcance de la mano. Esa tía está forrada y me ha confesado que lo guarda todo en casa porque no se fía de los bancos, y supongo que para no pagar impuestos o para hacer de usurera.

Le dejó ante la ventana y fue en busca de su bolso. Volvió junto a él y le tendió una llave.

—La hice el otro día. Es una copia de una copia que ella tiene en el cajón de la cocina, debajo de un forro de hule, donde guarda el pan. Podemos entrar cuando nos parezca y buscar hasta encontrar el dinero. Por las tardes va a airearse y no quedan huéspedes o sólo un viejo inútil que casi no puede moverse de la cama. Ya le daré yo bocadillos de sardinas y cafés con leches.

—Demasiado fácil.

—Algo tendría que ser fácil. A la tía le gusta largar cuando cree que los otros son unos piernas, y a mí me ha tomado por una infeliz que estoy todas las tardes esperando su limosna. A ella no le hace ninguna falta el dinero. Todo lo que ha tenido que hacer en esta vida ya lo ha hecho, y sólo le interesa ver cómo se enciende y se apaga el rótulo de su asquerosa pensión y salir al balcón a tomar el fresco y llevar el control de todo lo que pasa en la calle.

—Demasiado fácil.

—Lo he pensado. Lo he pensado mucho. Es coger el dinero y marcharnos. Tú robas un coche en la otra punta de la ciudad y lo aparcas en el parking de detrás de la Boquería. Es un parking abierto, de esos en los que nadie lleva el control de quién entra y quién sale. Está a doscientos metros. Nos metemos en la pensión, cogemos el dinero y nos vamos en el coche hasta donde nos dure la gasolina. Luego, con el dinero en el bolsillo, todo será fácil.

—Demasiado fácil.

—Tan fácil que ni siquiera tú podrías estropearlo.

—Algo puede salir mal.

—¿Qué puede ser peor que esto? —Y le invitaba a que la mirara a ella, tan desnuda y destruida como las paredes y el aire que respiraban.

—Marruecos.

—Donde tú quieras. El desierto. El billar. Las camisas de seda. Tiende la mano. Saca el brazo más allá de la ventana.

Y así lo hizo. La mano asomada hacia la tarde. Como una garra.

La última conversación con Charo le había dejado mal sabor de alma y una vez más descubría el peso del alma, como un tumor que siempre le revelaba el lado oscuro de sí mismo. El trabajo le había hecho olvidar el problema de Bromuro y de pronto se le fijó en el cerebro la imagen de Charo y Bromuro unidos por una solidaridad que a él le desconocía y en parte le rechazaba. Era lo más parecido a la mala conciencia, y antes de ir al encuentro con el limpiabotas, tendió un puente de plata hacia la mujer que le acogió cariñosa y triste al otro lado del teléfono. En cuanto le propuso ir a comer a un restaurante, la tristeza se volvió alegría y se citaron en Casa Isidro, en la calle de Les Flors, en el límite de las Rondas, a pocos metros de la sorpresa románica de la iglesia de Sant Pau del Camp. Llegó Charo vestida y peinada de restaurante, pero con un punto de exceso de Eau de Rochas que podía arruinar la finura del aroma de los platos. Por eso buscó sentarse frente a ella, no a su lado como a Charo le habría gustado, y en compensación la dejó explayarse sobre el largo viaje de análisis, pruebas, ambulatorios y consultas que había seguido con Bromuro.

—Tú no te puedes imaginar lo que es el Seguro, Pepe. ¿Desde cuándo no has ido al médico?

—Desde el balazo que me pegó aquel siamés.

—No me lo recuerdes, Pepe, que se me pone la piel de gallina.

Charo estaba mayor y bonita. Maduraba con grávida dignidad, y algo parecido a la ternura fue interrumpido por la sabia introducción al menú de Isidro y Montserrat, el matrimonio que llevaba el restaurante que distinguía a Carvalho como un conocedor y un buen catador de los vinos de Cigales que guardaban en la bodega. Al «qué tienen de nuevo» que Carvalho emitió por simple fórmula, respondieron sin inmutarse que foie gras de oca a la crema de lentejas verdes, los entremeses de foie gras, las mollejas a la crema de limón verde, el bacalao gratinado al perfume de ajo, los *farcellets* de col rellenos de langosta al perfume del azafrán, la lubina a la *ciboulette*, el lenguado con moras, el *riz de veau* a la crema de limón verde y detuvieron su exposición de novedades sin inmutarse, sin ser conscientes de la profunda conmoción que habrían causado en el espíritu de Carvalho, indignado ante tantas posibilidades y la obligación de reducirlas.

—De todo un poco —dijo irónicamente.

Pero Isidro tomó nota de su pedido como si fuera en firme y Carvalho tuvo que desdecirse y volver al lenguaje lineal. Charo se fue a lo que parecía más seguro: los entremeses de foie y el lenguado con moras, y Carvalho pidió medias degustaciones del foie de oca a la crema de lentejas verdes y el *riz de veau* a la crema de limón verde como plato de fondo.

—Bromuro, cuando era más joven, se lamentaba de lo poco que Dios nos había dado para tantas mujeres y con tantas necesidades como había, y a mí me ocurre lo mismo ahora con la cocina. No viviré lo suficiente para poder probarlo todo.

—Lo tuyo es gula, Pepe.

—Lo mío es curiosidad, casi la curiosidad del mirón que presiente lo que ya no va a poder ver.

—Cualquiera diría que eres un viejo.

—Nadie sabe hoy en día qué es un viejo. Sólo lo saben los viejos, y yo aún no me siento viejo. De momento fíjate en cómo han hecho desaparecer del vocabulario incluso la palabra. Se habla de gente de la tercera edad. Me recuerda aquellos años del franquismo en que los obreros eran llamados productores. Ser obrero era políticamente obsceno y peligroso. Ser viejo es biológicamente obsceno y peligroso.

—No me deprimas más, Pepe. Venga, vino y alegría.

Temía a Charo cuando se envalentonaba y le salía la sureña de juerga que llevaba dentro.

—Pero qué bueno, qué requetebueno está este vino, Pepe.

—¿Qué tiene Bromuro?

—Ay, Pepe, que me voy a poner a llorar. Déjalo para los postres. ¿Qué hay de postres, Pepe?

—Pues por ejemplo unas *profiteroles* o la terrina de naranja al Marnier.

—Entonces no. Hablemos de Bromuro ahora, porque soy muy golosa y quiero tomarme los postres con alegría.

—Lo de Bromuro le va mejor al foie gras.

—Que me lo vas a hacer aborrecer, Pepe. Mira, todo ha sido tan triste... ¿Tú le has visto la ropa interior a Bromuro?

—No.

—Pues no se me ocurrió advertirle y cuando le llevo el primer día a que le hagan un no sé qué, no sé si era el scanner o los rayos X o la radiografía de los intestinos, yo qué sé las pruebas que le han hecho. Mira, Pepe, que cuando se quedó el pobretico en calzoncillos, yo no sabía a dónde mirar. Unos calzoncillos de los que llevaba mi padre. Y remendados, con manchas de orín en la braqueta, y la camiseta parecía un harapo, limpia sí, pero un harapo. Pero, hombre de Dios, le dije aprovechando que la enfermera se había ido, ¿no tenías nada mejor que ponerte? Y se me ofendió, Pepe, me dijo que todo eso de la ropa interior son zarandajas y que hemos venido a este mundo desnudos y que desnudos nos moriremos, que en la campaña de Rusia se ponía periódicos en vez de ropa interior y que Franco montó la Seguridad Social para que los trabajadores pudieran ir al médico como les pasara por los cojones. Y lo de Franco lo dijo cuando ya estaba la enfermera en la habitación y la tía le echó una mirada que yo me dije: Charo, ésta me lo mata, y yo le sonreí como si Bromuro estuviera chalado y dije: qué cosas tienes. Y la enfermera, que estaba mosca, me preguntó que si era mi padre, y a mí me dio vergüenza que Bromuro fuera mi padre, con aquellos calzoncillos y aquella camiseta, y dije corriendo que no, tan corriendo que Bromuro lo notó y se puso aún más triste, Pepe, que se me hizo un nudo en la garganta y me dio una rabia de mí misma que añadí: pero como si lo fuera. Y el viejo se emocionó.

A Carvalho se le había helado la carga de foie de oca con crema de lentejas verdes que había colocado cuidadosamente sobre el tenedor. Se iba imaginando el cuadro a pinceladas gruesas y sucias, sucias de decadencia y tristeza, y carraspeó para abrir paso a la comida.

—Y de salud, ¿qué?

—Pinta mal, Pepe.

—¿Qué pinta?

—Tiene de todo. Anemia, cirrosis, un riñón le funciona mal y aún no se lo han encontrado todo.

—Pues que no sigan. Esos tíos son capaces de descubrir que está preñado.

Se le escapó tanto la risa a Charo que le saltó al plato parte de lo que llevaba en la boca y subió la risa hasta comunicarla a todo el restaurante.

—¡Que no puedo parar, Pepe!

Carvalho optó por ensimismarse en la comida y Charo dialogó secretamente consigo misma hasta conseguir serenarse entre hipos y entre lágrimas, que primero fueron la resaca de la risa y luego el retorno de la tristeza por Bromuro.

—Es injusto que se llegue a estas edades tan solo.

—Si hiciéramos una lista de injusticias, habría otras por delante. Tú le has acompañado; Biscuter se le ha ofrecido para lo que necesite. Yo mismo le echo una mano.

—Se va a morir, Pepe.

—No.

Fue un no irracional y seco, como si la idea de la posible muerte de Bromuro fuera una idea agresiva contra él. Por un momento trató de imaginar su mundo afectivo sin Bromuro, y no 'pudo. Era inconcebible buscar a Bromuro por las ingles de la ciudad y no encontrarlo, como un pequeño bicho metido en los pliegues más sucios de Barcelona, un bicho herido y tierno, frágil y sabio.

—Qué coño va a morirse Bromuro.

—No te pongas así, Pepe, que a todos nos ha de llegar, y Bromuro está muy malito. Él dice que es de todas las porquerías que nos hacen comer y beber. Ya conoces su manía de que los ayuntamientos meten bromuro en el agua corriente para que los hombres no trempen. Pues ahora dice que lo contaminan todo para que la gente se muera y acabar así con el paro. Que eso lo acuerdan el Reagan y el Gorbachov cuando se encuentran. Que aquí haría falta otra vez un general como Muñoz Grandes para meternos a todos en cintura...

—Me lo conozco. Oye. Se acabó el tema Bromuro, que no me deja saborear la comida. Déjalo para el café. En lugar de una copa de Calvados pediré agua de Carabaña y hablaremos de lo que puede hacerse por él.

—Yo lo internaría.

—¿Internar a Bromuro?

—En un sitio donde le cuidaran. No puede acabar un día sentado en el taburete de limpiabotas o tirado por un callejón.

—No es un niño, ni está loco. Que elija él. Pero si se le interna, se le mata. Bromuro está vivo porque respira la mierda de estos barrios.

—Pues yo lo he visto tan acojonadito, pobre, que ya no sé si es verdad. Dice que ya no entiende nada. Que esta ciudad no es lo que era, que aquí ha pasado algo y que no sabe explicarlo. Que antes esto era como un pueblo lleno de putas y chulos y chorizos, pero ahora está lleno de canallas de acero inoxidable.

Canallas de acero inoxidable y probablemente conectados con una central de datos de canallas de acero inoxidable mediante sutiles hilos cibernéticos hechos de una nada llena de crueldad. También él había sentido últimamente miedo, varias veces, como si definitivamente aceptara ya no ser la medida del mundo externo, ni del interno, sino un superviviente precario.

—Qué rico está esto, Pepe. Isidro, felicita al *maître*.

A Carvalho le molestaba que Charo confundiera al

maître con el cocinero y que felicitara en los restaurantes como si fuera un Biscuter cualquiera presumiendo de hombre de mundo. Como Isidro era a la vez el propietario y el *maître*, inclinó la cabeza y se felicitó a sí mismo sin decir nada.

—Pero, Charo, si el *maître* es él.

—Nunca aprenderé. Yo siempre creo que el *maître* es el tío del gorro blanco. ¿El *maître* no es lo más importante?

Más de quince años irradiando cultura gastronómica y Charo aún no sabía distinguir un *maître* de un cocinero.

—Le llaman al teléfono.

Carvalho acudió al reclamo y Biscuter le transmitió urgencias. Había llamado Camps O'Shea y era necesario que se pusiera inmediatamente en contacto con él.

—Ha insistido en lo de inmediatamente.

Charo terminó sus *profiteroles* con una cierta parsimonia vengativa. Había esperado una prolongación de la sobremesa en su apartamento y se había puesto la ropa interior de color rojo que Carvalho le elogiara, distraídamente, como siempre hacía, en uno de los últimos encuentros más afortunados. Y cuando se quedó sola se echó a llorar, con la servilleta ante los ojos y mintiéndose. Lloro por Bromuro. Pobre Bromuro, se dijo una y mil veces. Pero sabía que no era cierto.

Camps O'Shea paseaba arriba y abajo de su despacho, elásticamente, como regalando a la moqueta más cara de este mundo su felicidad de actor recitando lo que le cantaba el papel que llevaba en una mano.

—Oiga. Escuche, mejor dicho, Carvalho. Nuestro hombre se supera. Escuche:

»«Abriré las jaulas donde guardáis vuestros animales de lujo y el brillo de sus músculos iluminará el atardecer más que la luna de Samarcanda.

»Pero en la carrera un animal revelará su herida de muerte y no llegará a las puertas de la ciudad. Es el escándalo. El chivo expiatorio que necesita mi teoría de la crueldad. El que debe morir para que los demás sean

libres y vosotros, mercaderes de músculos, los culpables morales de esta historia.

»El que debe morir subirá a los cielos de la inocencia. La sangre limpiará mis manos, porque serán instrumentos del nuevo orden de la Tierra. Por todo ello, y es profecía, el delantero centro será asesinado al atardecer.»

—¿Qué le parece?

—Fastuoso. Eso está escrito por un guardia.

—¿Por un qué?

—Por un guardia. No sé muy bien de qué clase, porque cada vez hay más clases de guardias. Pero fíjese qué manías tiene: abrir las jaulas, dirigir el tráfico de la ciudad, incluso el tráfico de los cielos.

—Es una belleza.

Camps O'Shea estaba tan indignado con la insensibilidad poética de Carvalho que sus mejillas se habían arrebolado y le tendía el papel como la prueba evidente de la magnificencia del escrito.

—Sea quien sea el redactor, no se le puede negar un instante lírico, elegíaco mejor dicho.

—En cuanto lleguemos a él, le pediremos que nos redacte las necrológicas.

—No lo minimice, Carvalho, por Dios.

—¿Sabe qué le digo? Que este tío no mata a nadie. Un majara capaz de utilizar el peligroso juego del anónimo para pedir una oportunidad en los próximos juegos florales. Eso es lo que es.

—Si algo no tiene esta poesía es floralismo. Es precisamente lo más antijuegos florales que se ha escrito nunca. Defínase. Comprométase, Carvalho. Dígame usted por qué acusa de floralismo esta escritura. Dígamelo.

—No perdamos el tiempo.

Camps O'Shea cabeceó contrariado y obsesionado.

—No. No. No estoy dispuesto a pasarle lo de floralismo. Seamos serios. Estamos analizando un escrito de peso y grave. Está en juego la vida de un hombre.

—De un héroe. La vida de un héroe de domingo y la carrera literaria de un chalado.

Camps estaba furioso y Carvalho decidió que estaba furioso por dos motivos, por la propia displicencia de Carvalho, pero también por la pasión lectora que le ha-

bía suscitado el tercer anónimo y de la que ya no podía desdecirse.

—Es importante que no lo minimicemos, porque un análisis de fondo nos puede llevar al descubrimiento del autor. No le planteo un análisis de contenido como el del inspector Lifante. Bobadas. Yo me he permitido un análisis somero y no profesional, pero soy un buen lector, creo y adivino, prefiguro una personalidad concreta detrás de esta proclama. Abrir las jaulas... eso indica una familiaridad con el espectáculo que se ofrece cada domingo cuando de pronto saltan los jugadores al campo; ¿no ha tenido usted muchas veces la misma sensación, como si les hubieran abierto las jaulas? Sigamos. El brillo de los músculos... recuerde el brillo de los músculos de los jugadores cuando saltan al campo, muchos de ellos recién salidos de la mesa del masajista y, en efecto, les brillan los músculos, cosa que el espectador no ve desde las gradas... Eso indica inmediatez. Es alguien que está o ha estado próximo a los jugadores de verdad. Que puede estar próximo a Mortimer. Samarcanda. ¿Qué le dice la palabra Samarcanda?

—Anne Blyt.

—¿Cómo dice?

—Recuerdo una película de mongoles que vi cuando era adolescente. Se titulaba *La princesa de Samarcanda* y la protagonizaba Anne Blyt.

—Seamos serios, Carvalho. No eluda la rica semanticidad de la palabra. Es un topónimo evocador, como Asmara o como Córdoba. Nunca llegaré a Córdoba. Samarcanda. Hay nombres de ciudades que evocan toda su historia y su leyenda. Asmara, la ciudad perdida en el Sahara bajo la arena. Samarcanda, la capital del Tamerlán y centro de la vida de un Asia brutal y a la vez civilizada por el peso del poder, por la capacidad de irradiación del poder. Y la eufonía, fíjese en la eufonía: Samarcanda.

Carvalho desconectó el oído y reflexionó sobre el surrealismo de la situación. Aquel tío padecía algo parecido al síndrome de Estocolmo. Éste es de los que le gusta que le secuestren, y quiso emitir un ruido para agujerear tanta poesía.

—Y además es maricón.

—¿Quién es maricón?

159

—El que ha redactado la nota. Tanto músculo, tanto brillo de músculo...

—Me defrauda, Carvalho. Pongámonos en el supuesto de que es maricón, ¿y qué?

—Pues eso, que es maricón. Hay quien es de Cuenca y hay quien es maricón. Son verdades objetivas o estadísticas, según se mire.

—No. No, Carvalho. No eluda lo que usted mismo ha dicho. Recuerde: ... y además es maricón. Y además... Eso implica un juicio negativo contra la personalidad sexual, supuesta, de este señor.

—Puede ser una mujer, y entonces lo retiro.

Camps O'Shea estaba desconcertado o cansado. Se parapetó tras de su mesa, también de palisandro, aunque algo menor de la que exhibía Basté de Linyola en su despacho, y buscó en el silencio un factor de tranquilización que le reconocía necesario.

—Este asunto comienza a crisparme los nervios.

—Lo comprendo. Pero empieza a no preocuparme. Cada vez estoy más convencido de que es un puro exhibicionismo, un tío que está jugando con nosotros y que trata de demostrarse a sí mismo que es más listo que nosotros. ¿Ha enviado el anónimo a la policía?

—Sí. Desde luego.

—¿Y qué?

—Ya conoce a Contreras. Ha ironizado contra usted y contra los intelectuales metidos a criminales. Una reacción groseramente corporativista. No me entienda mal, Carvalho. Yo no mitifico a este sujeto. En absoluto. Pero reconozco validez a lo que escribe y me lleva a una conclusión diferente a la de usted. Puede ser peligroso. Tener imaginación es peligroso en los tiempos que corren. Entre tanta mediocridad, aunque todos seamos cómplices de la mediocridad, un hombre con imaginación es peligroso.

—¿Qué hace un chico como usted en un cargo como éste?

Camps se encogió de hombros pero sonrió halagado. Por fin alguien adivinaba su incomodidad de fondo.

—Algo hay que hacer. Yo estudié arte y quería montar mi propia galería o dedicarme al peritaje, a gran altura. Nunca a la docencia. Enseñar al que no sabe es un recurso de mediocres y a la corta o a la larga fosili-

za. Pero no disponía de capital personal y tengo un padre muy recto, muy recto, como se decía antes. No quería soltar ni un céntimo para chucherías del espíritu, como él dice. Mi abuelo era de otra pasta. No había iniciativa cultural en Barcelona que él no financiara. Y eso no le hizo ser menos rico, sino más noble. Yo he salido a mi abuelo. Cuando Basté me dio esta oportunidad pensé que podía ser interesante, y lo es. Una entidad de este tipo tiene un importante componente cultural. Es un hecho de conciencia. Una idea encarnada en la masa y depende de quién la moldee. La masa es necia y el público de fútbol un sujeto colectivo aniñado y neurótico. Era como ofrecerme una materia plástica, comprenda. La puedo moldear con mis manos.

No le gustaban las confesiones, pero aquélla le había interesado y contemplaba al relaciones públicas como si acabara de descubrirlo, y él le agradecía hasta el éxtasis aquella sorpresa. Necesitaba sorprender y enviaba mensajes de náufrago. Éste soy yo. Yo no soy ese mayordomo que has visto actuar en las ruedas de prensa o en las conversaciones con Mortimer o Basté.

—¿Ha adelantado algo por su cuenta?

—No y sí. Me consta que no hay ninguna conjura normal para matar a este chico, ni veo una causa lógica para una conspiración. Basté acaba de ser elegido, el equipo marcha bien y aspira a ganar el campeonato. No hay grupos de oposición a la vista. No hay agravios entre compañeros, porque Mortimer acaba de llegar y no se ha creado enemigos ni dentro ni fuera del campo. Estamos, pues, ante una excepción. Demasiada excepción. Esas notas podrían ser tomadas en serio si el objetivo fuera un cantante de rock. Los poetas malos pueden matar a los poetas famosos, pero no a un futbolista. En esos, vamos a llamarlos poemas, hay algo que no suena y me parece que lo que no suena es la palabra muerte. Creo que es un mero alarde verbal.

—Ojalá —sancionó Camps y su suspiro terminaba la conversación y la audiencia—. Lo siento, pero he quedado con Dorothy para ir de compras. Hemos podido descolocar a la tía, porque prepara las maletas para volver a Inglaterra. Ya se ha convencido de que los virus del sida no cabalgan por las calles de la ciudad y Dorothy

tiene ganas de patear la ciudad y las tiendas sin la sombra de su tía.

—Ir de compras.

—¿Le fastidia ir de compras?

—Prefiero un hábil interrogatorio de la policía que ir de compras con una mujer.

—A mí me encanta y es curioso, puedo ser un excelente guía de *boutiques* de señora. Tengo una hermana con la que me avengo mucho y siempre me llama para que le acompañe. Dice que tengo un gusto excelente. ¿Quiere comprobarlo? ¿Viene con nosotros? Dorothy debe estar ya esperándome abajo.

Carvalho le acompañó hasta el encuentro porque le apetecía volver a ver a aquel animal presentidamente poderoso, de piel rosada de desnudo esencial, de esa piel de choque blando que tienen las mujeres inglesas. *Voyeur. Voyeur*, se dijo, cuando se descubrió a sí mismo desnudando con la mirada a la muchacha que se había puesto un vestido de lanilla verde, ajustado a la cintura y que le acampanaba unos culos suficientes aunque contenidos. Y aquella flamígera explosión de los cabellos rojos. Y aquella boca de planta carnívora. Y aquellos ojos de pimienta verde. Envidió a Camps O'Shea cuando le vio alejarse con la muchacha a bordo del Alfetta de importación del contradictorio mayordomo. Pero algo, no explicitado, le decía que la muchacha estaba lamentablemente segura.

El cerebro de la ciudad, del país entero, paladeó como un sabor de su propia inteligencia, otra vez demostrada, la victoria de Mortimer y los suyos en «... el siempre peligroso campo del Betis» y apenas si conservó un rincón para asimilar que el Centellas, por más parte que formara de una supuesta memoria colectiva, había conseguido un sorprendente empate en el campo de los correosos jugadores de La Vidrera y gracias a otro de los goles imprevisibles de Palacín. Apenas tres líneas en un resumen global de los resultados de la categoría regional preferente, las tres dedicadas al «efecto Palacín» sobre el adocenado conjunto del Centellas. Pero eran tres líneas, y aquella tarde en el campo del Centellas los

jugadores profesionales y los *amateurs* que podían financiárselo, antes de iniciar los entrenamientos degustaron aquellas tres líneas como una seña de identidad que les permitía existir y Palacín fue rodeado de un halo invisible de elegido: gracias a él salían en los periódicos.

—Los goles te los paso yo, eh, maestro.

—No sé qué harían sin ti, Confucio.

—Venga, venga. A sudar, a sudar. Que esto no ha hecho más que empezar. Si no os hiciera sudar yo no tendríais huevos ni para poneros las botas.

Y los jugadores se entregaron al entrenamiento con una ilusión que hacía tiempo no sentían. Si el Centellas daba la campanada volverían los ojeadores de los equipos grandes y aún podía llegar esa llamada que cambia una vida, que da sentido para siempre a lo que había empezado siendo un sueño. Sólo Palacín permanecía ajeno a la contenida alegría de sus compañeros y corría, saltaba, hacía gimnasia o regateaba bidones estratégicamente repartidos por el campo con una insuficiente entrega, como si se hubiera dejado la cabeza en otra parte y no supiera dónde. De su ensimismamiento le sacaron de nuevo las entradas de Toté cuando jugaron el partidillo y la indignación le fue devolviendo a su circunstancia, hasta que se encontró empeñado en un duelo de choques, patadas y codazos que el entrenador tuvo que cortar.

—¡Me tenéis los dos hasta los huevos! ¿Qué queréis demostrar, joder?

Pero no se encaraba a Toté, que piafaba como un toro, sino a Palacín.

—Hay que jugar como un hombre y que no se te suban los goles a la cabeza.

—Este tío es un asesino.

—Asesino lo será tu padre.

—Me tenéis frito, joder. Tú vete a hacer cintura, que buena falta te hace, y tú, Palacín, tira penaltis, que cada vez que se descuelga el santo y nos pitan uno a favor lo tiramos como si no nos lo creyéramos.

A Palacín le molestaba el ritual del penalti, el repetido ejercicio de fusilamiento de un portero, y de veinte que lanzó sólo metió doce.

—Pues sí que estamos buenos.

Se desentendió del encargo y se echó al suelo para

hacer abdominales, jugando con las piernas alzadas hacia el cielo. Atardecía. Pasaban nubes blandas y algunas bandadas de pájaros otoñizaban el espacio que veían sus ojos. Y dejó de hacer ejercicio para relajarse como si estuviera en el campo, bajo un árbol, con el frío del mundo a sus espaldas y ante los ojos un proyecto de caída hacia el universo, un proyecto que a veces le venía en sueños y le hacía despertar con la sensación de que se caía de la cama. Además le dolía la rodilla y en el cerebro la sospecha de que no podría dejar pasar demasiados días sin recurrir a Marta y a su ración de coca y sexo subalterno. Cerró los ojos para desaparecer, pero estaba allí, contra un fragmento de hierba superviviente en un córner del campo del Centellas.

—De campo y playa.

—No estoy fino.

—¿Te vuelve a doler la rodilla?

—No. Es algo estomacal.

—La ensaladilla que comimos en La Vidrera. Seguro que nos metieron matarratas para darnos cagarrinas.

El entrenador se sentó a su lado contra el suelo y ponía en su voz una suavidad de terciopelo.

—No me interpretes mal, Palacín. Eres el último que ha llegado, pero para mí no eres uno más. Te he admirado siempre y estoy orgulloso que estés con nosotros. Pero Toté, por ejemplo, es un pedazo de pan, un pedazo de pan muy bruto que quiere demostrarte que no se acojona ante tu fama, ¿comprendes? Yo tengo que levantarle la moral porque no tiene un dedo de cerebro. No me interpretes mal.

—Lo comprendo.

—A él aún le quedan algunos años de futbolista por delante y todos están angustiados por la posibilidad de que el club desaparezca. Este terreno es como una mesa de caramelos puesta a la puerta de un colegio. Si el equipo se hunde, el Centellas desaparece, y tú no los ves, pero cada día hay mil cuervos esperando que nos pudramos. ¿Lo comprendes, Palacín?

—Lo comprendo.

—Anda. Vete a casa si no estás bien. Nosotros aún seguiremos media hora más. Pronto oscurecerá.

Pero esperó aún unos minutos, disfrutando de la ilusión de que era un hombre libre en plena naturaleza,

por el simple contacto dorsal con la tierra, y recordó su proyecto predilecto de comprar una finca en Granada y ver cómo crecían las plantas y los jamones. Los jamones no crecen, decía Inma cuando le hacía partícipe de sus sueños, cuando ella misma llevaba en el vientre una parte de sus sueños, aquel niño que él veía un día vestido de futbolista dando el saque de honor en el partido de homenaje a su retirada, ante las cámaras de televisión, impresionado por el griterío de un estadio que coreaba el nombre de su padre. ¿Qué iba a hacer cuando acabara la temporada? Sánchez Zapico le había prometido un trabajo fácil y bien pagado, de representaciones, le dijo, pero no se veía a sí mismo representando otra cosa que su miedo de fondo y la sombra de su propia memoria. Se levantó de un golpe de riñones y cuando recuperó la vertical sintió un ligero mareo, pero le bastó respirar hondo y andar algunos metros para recuperarse. Anduvo despacio hacia el centro del campo donde Mariscal «Confucio» hacía malabarismos con la pelota a pesar de la sorna que el entrenador le enviaba a distancia:

—¡Confucio, harías carrera en el circo!

—¿Has oído tú a ese pedazo de leño? Le molesta que tenga control de balón. A él sólo le gustan los de patada y tente tieso, como Toté.

—Déjale que hable y tú sigue. Vas a más.

—Gracias, maestro. Recuérdame que te mande una caja de puros para Navidad.

Y siguió su camino hacia el vestuario, complacido por la perspectiva de ducharse en soledad y vestirse parsimoniosamente. Aún se detuvo para pegar la hebra con el centrocampista adolescente al que el entrenador había condenado a dar patadas a una pelota más pesada.

—Dice que tengo piernas de fideo.

—Cuidado con eso, que puede cansar el músculo y luego se te rompe. Va bien, pero con cuidado. Procura darle con el empeine y no con la punta.

—Mi padre sigue hablando de ti. Me cuenta unas cosas que yo creo que se las inventa.

—¿Qué edad tiene tu padre?

—Pues no me acuerdo. Así como tú, es un señor mayor, así como tú. Unos cuarenta.

—Chico, que no llego.

—Bueno. Tú estás en forma y él no. No se levanta ni para pegarse un pedo.

Siguió Palacín hasta llegar ante la puerta abierta del vestuario. La empujó y chirriaron los goznes enfermos, para abrirle la perspectiva del pasillo, y el traspaso de la luminosidad a la penumbra no le dejó ver en primera instancia la sorprendida parálisis de los tres hombres que en él se movían. Cuando los vio ya estaba dentro del vestuario y tardó unos segundos en asociar su presencia con la sensación de peligro. Estaban abiertos de par en par los taquilleros y los tres hombres ante su irrupción adoptaron actitudes automáticas pero diferentes. Uno de ellos retrocedió unos pasos como para proteger una bolsa deportiva que estaba en el suelo y los otros dos avanzaron rápidamente hasta quedar a un palmo de Palacín. Leyó en sus ojos una peligrosa sorpresa y no le dejaron dar un paso de retroceso hasta la puerta, porque uno de ellos saltó para ponerse a su espalda y oyó el chasquido de una navaja automática al abrirse. Fueron décimas de segundo de silencio y pánico contenido hasta que pudo balbucear:

—Todo lo que vais a encontrar aquí no vale el riesgo. Miseria y compañía.

—Cállate.

Había sonado a sus espaldas.

—Cállate o te rompemos las piernas y la boca.

Esta vez había hablado el que tenía delante y en un visto y no visto también él sacó una navaja automática del bolsillo y la abrió. Palacín sintió en la piel el contacto del aire frío que la navaja movía por el simple hecho de abrirse.

—¿Quién es éste?

—¿No lo ves? Maradona. Es Maradona, el muy imbécil, que ha dejado el entrenamiento cuando nadie le llamaba. ¿Quién te manda meter las narices donde no debes?

Palacín suspiró, se relajó y movió los brazos como alejando aquella pesadilla. Iba a decir: anda, marcharos, marcharos con lo que habéis cogido y no se hable más. Quería decirles que no había visto nada, que era como si no hubiera visto nada, que eran unos desgraciados ladrones de miseria. Necesitaba que se marcharan y que se llevaran el miedo, el suyo y el de ellos, sobre todo el miedo de ellos que sentía contra su espalda y contra su pecho prolongado desde la punta de las navajas. Pero no se oyó su voz, sino la del que había quedado en retaguardia como custodiando la bolsa que estaba en el suelo.

—Nos ha visto. Este julai nos ha visto.

Y el primer pinchazo lo notó en la espalda, bajo el omóplato, buscándole el corazón, y cuando se arrojó hacia adelante, como huyendo de aquella muerte, le entró la otra muerte por el pecho y quedó colgado de la navaja que el hombre mantuvo clavada, empeñado en no dejarle caer, como si en realidad le estuviera aguantando. Cuando la navaja se retiró, Palacín se cayó al suelo con las manos blandas, inútiles apósitos para la sangre, mientras a la altura de sus ojos se multiplicaban los pies y le llegaban voces que ya le ignoraban.

—¿Has cargado bien los armarios?

—¿No lo has visto tú? Venga. A correr. Que sólo tenemos diez minutos.

Le pareció flotar sobre su propia sangre y tener fiebre. No quería dormirse y abrió los ojos en búsqueda del límite de la mirada, y cuando un cristal gris cada vez menos transparente se interpuso entre él y el techo marcado por humedades y telarañas, se interesó por adivinar a quién pertenecía aquel rostro de mujer que se inclinaba hacia él y le llamaba. No. No era Inma. Ni era la voz del niño. ¿Cómo sería la voz del niño? Pero era una mujer. ¿Quién era?

—Ya ha salido.

No sólo era una constatación sino una orden y una ratificación hacia sí misma, casi tanto como hacia su compañero.

—Un segundo para pensar. Entiende, para pensar. Todo lo tenemos en el coche. Memoriza el punto exacto del parking donde está el coche. Las llaves. No podemos perder tiempo ni en un gesto. La retirada está cubierta, ¿no es así?

—Así es.

Él arrastraba la voz y ella le empujó suavemente para ponerle en movimiento. Cerró la ventana y salió a la escalera seguida del hombre. Bajó corriendo los escalones y saltó a la calle de San Rafael para recuperar de pronto la convencional compostura de trotona desganada. Él la seguía a unos pasos y la dejó meterse en el portal de la pensión, luego se volvió y miró a derecha e izquierda. La calle tenía la acostumbrada soledad de las tardes y casi era una sombra el vendedor de lotería del pasaje de Martorell. Marta se le había adelantado media escalera y la llamó suavemente para que no corriera tanto. Sentía las piernas fuertes pero el pecho anhelante, y ella le acogió ante la puerta de la pensión con una mirada de ferocidad preventiva. En su mano temblaba ligeramente la llave y le costó dos intentos meterla en la ranura provocando una sonoridad de metal herido.

—Doña Concha, ¿está ahí?

En la casa sólo parecía estar vivo el frigorífico emisor de internas desdichas y su motor tapaba el intento de decir que estaba allí del viejo inválido de la habitación del fondo del pasillo, pero el hombre lo oyó.

—Hay alguien.

—Es el viejo. No te preocupes.

Marta irrumpió en la cocina y empezó a poner todos los potes boca abajo, tuvieran lo que tuvieran. Despegó los forros de papel policromo de las alacenas, volcó los cajones y en minutos la cocina parecía un desordenado inventario de sí misma.

—Venga, a los colchones.

Ella misma cogió el cuchillo más grande que encontró y predicó con el ejemplo rasgando las fundas de los colchones, revelando el alma de bloque de espuma de todos ellos. Removió las alfombras, vació los armarios, quedando él relegado a la tarea de examinar lo que ella ya había desechado. Habitación por habitación, no hubo volumen que no fuera examinado, ni contraventana, ni empapelado sospechoso que no fuera rasgado. Inútilmente. A ella le sudaban las manos y el morro, a él todo el cuerpo y empezaba a tratar de decirle que era inútil, que allí no había nada.

—¡El horno! ¡No hemos mirado el horno!

Corrieron a la cocina y abrieron el horno de par en par y él hizo palanca con el cuchillo para levantar el fondo oxidado bajo el que quedaba un espacio vacío.

—Nada.

—Mierda. ¿Dónde habrá dejado esa bruja el dinero? De pronto el frigorífico quedó en paz consigo mismo y en el súbito silencio se oyó nítido el intento de hablar del inválido.

—El viejo.

—Ya le oigo.

—No me refiero a eso. La muy puta igual ha metido el dinero en la habitación del viejo.

—Pero si entramos nos verá.

—¿Y qué más da?

—Pero imagina que no encontramos nada. ¿De qué nos sirve el coche? ¿Adónde vamos sin dinero?

—Nos vamos igual. Yo ya no me echo atrás. A por el viejo.

Les contuvo un instante la mirada alarmada de aquella calavera viviente desde el fondo de dos cuencas profundas, pero la esquivaron y la habitación se convirtió en una leonera de objetos avergonzados de su miseria, en un ámbito sin ventana, sólo iluminado por una desnuda bombilla cenital.

—La teja. Mira dentro de la teja.

—¿Qué teja?

—Donde mea, imbécil. La tiene debajo de la cama.

Él sacó la teja con un brazo tembloroso y parte del orín que contenía le manchó una mano y saltó al suelo. Contuvo el vómito, pero no un grito de asco y dejó caer el orinal.

—¡Entre las ropas de la cama!

Empujó al inválido hasta el límite del colchón y levantó las ropas en forcejeo con aquel cuerpo yerto pero cálido. Luego metió los brazos bajo el colchón palpando con las manos y en busca de un bulto esperanzador.

—Aquí no hay nada, Marta.

—Imbécil. Calla y busca. Registra al viejo.

Pero las manos de él se limitaron a aletear como cuervos paralizados sobre el cuerpecillo que no se atrevía a tocar.

—¿Qué esperas?

—Me está mirando.

—Inútil.

Y fue ella misma quien desgarró los botones del conjunto de felpa sucia que cubría aquel esqueleto y metió las manos incluso en la bragueta, en cualquier rincón donde cupiera lo que buscaba.

—Mierda. Seguro que está aquí.

Y miraba las paredes y el suelo, en busca de una revelación.

—Pero ¿dónde? Pisemos con cuidado por si notamos un hueco. Yo busco por el suelo y tú vete golpeando las paredes.

Salió al pasillo pegando continuadas patadas contra el suelo. A pesar de la obsesión, percibió nítidamente el ruido de la llave en la cerradura de la puerta y casi sin transición la aparición del volumen de doña Concha murmurante, hasta que la presencia de Marta la dejó muda y desorientada.

—¿Qué haces tú aquí?

La segunda pregunta estaba tan contestada que ni siquiera la hizo. Le bastó una ojeada para comprobar desórdenes que se asomaban al pasillo distribuidor y desde la puerta se veía un ángulo de la cocina donde se amontonaban los restos del desvalijamiento. Pero el *cómo has entrado* seguía tendiendo un mudo puente lógico entre las dos mujeres, a medida que la evidencia se metía en el corpachón de doña Concha y dudaba entre echarse encima de Marta o retroceder hasta la puerta para pedir socorro. Pero la vio allí, al fondo del pasillo, tan delgada y frágil, tan sorprendida y culpable como una rata, tan dependiente de su generosidad despechada, que se envalentonó y avanzó hacia ella con la mala lengua en ristre.

—¡Has venido a robar! ¡Te voy a sacar los ojos!

Marta retrocedió y trataba de recordar dónde había dejado el cuchillo. El ritmo de su retroceso era inferior al del avance de la otra que se le echaba encima sin darle tiempo para pensar, pero tan ciega que no se dio cuenta de que a sus espaldas crecía la aparición del hombre, con una botella de agua en la mano. Doña Concha llegó a coger un mechón de pelos de Marta y a clavarle las uñas de la otra mano en el rostro, pero luego la botella se estrelló contra su cabeza, y agua, cristales y sangre sirvieron de aureola a aquella fruta mustia que se fue inclinando hasta secundar el desplome total del cuerpo contra el suelo. Desde allí trató de cubrirse la cara con una mano, mientras con la otra la engarfiaba en la flaca pantorrilla de la muchacha. El hombre dio cuatro patadas ciegas sobre aquel amasijo de carne, rabia y miedo hasta que Marta se sintió liberada y saltó por encima del cuerpo. La pareja corrió hasta la puerta y desde allí se volvió para comprobar la reacción de la mujer caída.

—No se mueve. La he matado.

—No digas tonterías. Y vamos a por el coche.

Mientras saltaban los escalones, él trataba de disponer del aire suficiente para decirle que no tenían dinero, que la gasolina apenas les permitiría salir de la ciudad. Pero nada más llegar al borde de la calle, ella le impuso detener la huida y salir por separado en dirección al pasaje de Martorell y al parking de La Garduña. No aparecía en el balcón la temida presencia de doña Concha detrás de la maceta con hiedra que tanto cuidaba y ganaron la calle del Hospital con la sensación de llegar a la frontera de un país que afortunadamente les desconocía. Luego ya no pudieron contener la voluntad de huida y corrieron con las piernas temblorosas hasta desembocar en el parking de La Garduña. Él se sentó al volante del coche que había robado una hora antes en los altos de la ciudad, en el paseo de la Bonanova, curiosamente muy cerca de casa de sus padres, y recordó el impulso que tuvo de desentenderse de la aventura y llamar a aquella puerta y dejarse tratar otra vez como un hijo pródigo. Pero el viaje tenía más coherencia porque Marta era lo único coherente que le quedaba.

—Salgamos hacia el sur.

—No. Coge la carretera de la costa y desvíate hacia Pueblo Nuevo. Ya lo decidiremos.

—¿Qué se nos ha perdido allí?

—Vamos a irnos con dinero. Te lo he prometido y ahora te lo juro.

Luego, ya en marcha el coche, tardó en adquirir valor suficiente para comentar que la había matado, que estaba seguro de que la había matado. Necesitaba que Marta le llevara la contraria, pero ella callaba, ensimismada o complacida en su tortura.

—Ve bajando en dirección hacia el mar y dentro de poco para, preguntaré adónde vamos.

Marta asomó la cabeza por la ventanilla para preguntar a unos mecánicos dónde estaba el campo del Centellas. Él se escondió tras el volante, porque creía llevar en el rostro la noticia de lo que había hecho. Tuvieron que preguntarlo tres veces hasta que por callejas tan arruinadas como las fábricas abandonadas que las habían necesitado, desembocaron en un panorama abierto de bloques vecinales de construcción moderna y entre ellos el muro del campo del Centellas, un inmenso paredón ocre sobre el que se habían cebado toda clase de lluvias y destrucciones.

—Pero ¿qué vamos a buscar ahí? Está atardeciendo.

—Vamos a sacarle dinero al yonqui ese. Por las buenas o por las malas. Un día me dijo que era fácil entrar en el vestuario, que no hay ni una puerta que cierre. ¿Qué hay en un vestuario, dime? Pantalones y americanas y carteras con dinero. No será tanto como el que esperábamos, pero podremos salir de la ciudad y ganar tiempo.

—La he matado. Nos buscarán como locos.

—Si la has matado, tardarán en buscarnos. Peligramos más si no le has matado. Deja el coche de manera que podamos salir zumbando.

Parecía como si alguien les hubiera querido facilitar las cosas, porque sobre el marco de una puerta sobrevivían letras relavadas: «ACCESO A LOS VESTUARIOS. PROHIBIDO EL PASO.» Marta empujó la puerta y ante ellos apareció un pequeño patio interior cubierto por vegetaciones salvajes entre ladrillos rotos o desencajados y al final la puerta que prometía el vestuario. A lo lejos, el ruido de patadas contra una pelota de fútbol, voces, un silbato, gritos de aviso, o de alegría. Con decisión, la mujer se metió en la penumbra del vestuario y abarcó con una mirada todas las hornacinas abiertas de par en par y fue cuando bajó la mirada, ya familiarizada con la penumbra, cuando vio el cuerpo en el suelo sobre el oscuro charco de su sangre. Tenía la mirada en el techo y Marta se inclinó sobre ella y creyó ver un fondo de vida y una voluntad de labios al moverse. Su compañero se había convertido en una estatua a contraluz apenas introducida, pero ella tendió la mano para comprobar o retener la vida de Palacín, hasta que los labios quedaron inmóviles del todo y los ojos se convirtieron en dos cristales baratos. Fue entonces cuando se oyó un estrépito de coches al frenar, abrir y cerrar de portezuelas, y cuando el hombre y la mujer trataban de recuperar el control de sí mismos, la puerta del vestuario rebotó contra las paredes, amenazándolas en su fragilidad de ruina, y un tropel de policías saltaron hacia ellos con las lenguas y las pistolas como hachas y ya sólo sintieron golpes y un total silencio interior.

El batín era de seda y el tubo de somníferos estaba pintado de un color inocente, azul celeste, le pareció a Carvalho cuando jugueteó con él mientras del lavabo llegaban las arcadas de Camps O'Shea y Basté de Linyola arrugaba la nariz, por si la impaciencia de sus pasos arriba y abajo del *living* dormitorio del apartamento de su jefe de relaciones públicas no fuera suficiente muestra de su disgusto. El batín tenía un aspecto inmejorable y estaba a la espera de su dueño en cuanto terminara de vomitar el tubo de pastillas que había ingerido poco después de escribir sendas cartas a Carvalho y a Basté. Carvalho no había abierto la suya. El intento de suicidio había sido un fracaso y esperaba a que Camps le diera permiso para leerla. La voz del médico llegaba desde el lavabo donde dirigía las operaciones de limpieza interior del insuficiente suicida. Fue el médico el primero en aparecer en mangas de camisa y con el cansancio de un posparto. Pero no dijo: la madre y el niño están bien, o: al menos ella está con vida, o: la vida sigue. Era muy joven, demasiado joven y tuvo que disimularlo: todo bajo control, dijo con una rotundidad excesiva, de final de guerra mundial. Y sólo cuando se puso la chaqueta redactó una receta que dejó sobre el batín de seda.

—¿Se le debe algo?

—Ya lo arreglaré con el señor Dosrius.

Y como estaba decidido a marcharse cuanto antes, Basté le retuvo suavemente contrariado.

—Un momento. ¿Eso es todo?

—Ha sido sólo un aviso. Con lo que se ha tomado sólo hubiera conseguido dormir un día. Le he hecho vomitar por precaución. Ha querido alarmarles. Eso es todo.

Ya no le quedaba a Basté ni una brizna de preocupación. Se sentó en un sillón enfrentado al lavabo y dispuso el ademán de un dios padre a la espera de la aparición del hijo más desagradecido e inoportuno. Ningún sonido salía del retrete y la aparición de Camps se produjo a cámara lenta, como si se estuviera empujando a sí mismo. Quedó ante ellos, en pijama pero sintiéndose desnudo, cabizbajo, con las ojeras y los labios oscuros, le colgaba toda la cara, como si le estuviera cayendo de vergüenza. Basté se concedió el suficiente tiempo de silencio como para que sus primeras palabras sonaran con más énfasis.

—¿Y bien? Sito, nos debes una explicación. Y sobre todo a mí.

—Lo siento, Carlos.

—Sito, eres un hombre hecho y derecho y he venido en tu ayuda por la amistad que me une con tu padre. Pero es intolerable que hagas estas niñerías y asustes a los amigos. Insisto. Me debes una explicación.

—En la carta...

—Tu carta es un galimatías, Sito. No entiendo nada. ¿De qué eres culpable? ¿A quién has matado tú? ¿A santo de qué te haces responsable de no sé qué asesinato y de no sé qué anónimos? ¿Qué fantasía es ésta?

Necesitaba cubrirse y rescató el batín de seda para ponérselo como una patria. Recuperó entonces su estatura para perderla en las profundidades de un sillón de cuero que le acogió como un guante amigo.

—¿Y bien?

—¡Y mal! ¡No me preguntes insultándome! ¡No soy uno de tus esclavos, Carlos! ¡Joder!

O era la primera vez en su vida que había dicho joder o era la primera vez en su vida que alguien le decía a Basté de Linyola algo semejante.

—No te pongas así, Sito.

—¿Cómo voy a ponerme? Estoy confuso, humillado, molesto conmigo mismo. Debes comprenderlo. ¿Usted lo comprende, Carvalho?

—No sé nada de nada. No he abierto mi carta, pero la intuyo. Usted es el autor de los anónimos.

—Sí. Es horrible.

—Bien, Sito. Tú eres el autor de los anónimos y eso es todo. ¿Por eso te suicidas o haces toda esta comedia? Has dado prueba de una majadería que no esperaba de

174

una persona tan equilibrada como tú. Y eso es todo. ¿Por qué te complicas más la vida y nos la complicas a los demás?

—Fue ayer noche. Yo no sabía nada hasta que conecté la radio antes de acostarme. Fue entonces cuando me enteré de lo del asesinato.

—¿Qué asesinato?

—Pero, ¿no te has enterado? ¿Usted tampoco?

Carvalho sólo respondía de su propia ignorancia. Basté la compartía o la fingía con recuperado empaque.

—¿De verdad no sabéis nada? Ayer apareció asesinado un jugador de fútbol, de un modesto equipo de barriada, pero el nombre os sonará. Era Palacín, aquel delantero centro que parecía que iba a comérselo todo. Yo recuerdo que era casi un crío y me fascinaba. ¿Recuerdas a Palacín, Carlos?

Carlos permanecía mudo.

—Lo habían fichado hace unas semanas en el Centellas, un equipo de regional preferente, y ayer la policía lo encontró muerto y a su lado los dos presuntos asesinos. En cuatro armarios de los jugadores del Centellas apareció droga.

—¿Y bien?

—¿No sabes decir otra cosa?

—No. La verdad, Carlos, que empiezo a impacientarme de verdad. ¿Qué tiene que ver esa muerte con unos anónimos que tú has escrito? ¿Has matado tú a ese hombre?

—No, por Dios. Lo mío era un juego, un juego peligroso, pero un juego. Yo ni siquiera sabía que Palacín estuviera en Barcelona, que aún jugara. Te lo juro.

—Entonces me darás la razón. ¿Qué estúpido impulso te llevó a responsabilizarte de esa muerte y sacarnos de la cama a las cuatro de la madrugada?

—Recuerda, Carlos: «Porque habéis usurpado la función de los dioses que en otro tiempo guiaron la conducta de los hombres, sin aportar consuelos sobrenaturales, sino simplemente la terapia del grito más irracional: el delantero centro será asesinado al atardecer.» Fue asesinado al atardecer. ¿Lo entiendes? ¿Me comprende usted, Carvalho?

—Comprendo. Es usted un alma sensible. Un poeta.

—Un imbécil.

Basté se había puesto en pie y se abotonaba la chaqueta de terciopelo casi negro. La suya era una pulcritud insultante a aquellas horas de la mañana.

—No me preocupan ya las imbecilidades que has hecho. Las dos: los anónimos y la farsa del suicidio. Ahora espabílate para que la policía no relacione una cosa con la otra. Nada tienen que ver y no estoy dispuesto a mezclar el nombre del club con algo tan sórdido. No es por mí. Es por el prestigio de lo que represento. Ya te apañarás con la policía. Yo te cubro si las cosas quedan como están. Ya he cumplido. Cuando todo haya pasado quiero tu dimisión. Usted cobrará lo estipulado y no se quejará. Ha tenido poco trabajo. Recibirá un cheque y no pase recibo.

—Me ahorraré el IVA.

—Y el cheque será lo suficientemente generoso como para que se calle. Todo ha sido una desgraciada niñería. Te diré algo antes de irme, Sito. Entiendo que el cargo te venía estrecho y que has querido literaturizarlo. Vivir literariamente es muy peligroso y ha destruido incluso a excelentes escritores. A mí no me deslumbras. Yo soy presidente de un club de fútbol como podría ser presidente de la ONU. No me siento desterrado de un destino mejor, tal vez porque he hecho cosas o he intentado hacerlas. Lo tuyo es el rasgo de un niño mimado que está de vuelta sin haber ido a ninguna parte. Ni siquiera puedes ser un actor. Y otro consejo: la próxima vez que te suicides no molestes a los amigos.

Camps acumuló estupefacción hasta que el ruido de la puerta al cerrarse alejó definitivamente a Basté. Entonces se entregó a un monólogo sobre la crueldad del que se había ido, la frialdad de los triunfadores, la peor frialdad de los triunfadores con complejo de triunfo insuficiente.

—Sólo le interesa tapar la mierda.

—Contreras nos llamará.

—Ya lo ha hecho. Ha sido lo que me ha puesto en el disparadero. Nos espera esta mañana a las diez, pero convencido de que todo está aclarado. Junto al cadáver han encontrado a una pareja de desgraciados. Ella había tenido relación, no sé muy bien cuál, con el muerto. Ha sido una venganza o un ajuste de cuentas. La cocaína aparecida en el vestuario implica a otros jugadores del Centellas. Ha sido una coincidencia mágica, Carvalho. Mágica. ¿Cree usted en la magia? No. Me lo figuraba. ¿Cómo explicarlo de otra manera?

—La muerte se busca. El azar también. Pero a veces es tan complicado deshilvanar los hilos, que te pierdes. Un delantero centro fue amenazado y el muerto es otro.

—Cualquier parecido es pura coincidencia, Carvalho. Ahí está lo asombroso del asunto.

—En esta ocasión todos estarán de acuerdo en que ha sido una coincidencia. Contreras el primero, sobre todo si ya tiene el caso resuelto.

—Hay que dejarle hablar.

Sí, había que dejarle hablar, había que dejar hacerle la declaración y luego firmarla. Las mejores declaraciones son las que te escribe la policía cuando está de acuerdo contigo o tú necesitas estar de acuerdo con ella. Carvalho ganó la calle y buscó un quiosco de periódicos. En la parte alta de Barcelona no había quioscos y tuvo que caminar hasta la plaza de Sarriá para encontrarlos. Era una noticia de primera página, pero no de las más destacadas: «Advertida por una información, la policía se personó en las instalaciones del Centellas F. C., donde podía encontrarse un alijo de drogas. Montada la operación con el factor sorpresa, en el momento de irrumpir en los vestuarios del histórico club, descubrieron a una pareja y el cuerpo del hombre sin vida que resultó ser Alberto Palacín, veterano jugador del Centellas F. C. La pareja detenida en el lugar del suceso resultó ser Marta Becerra Gozalo y M. Ll., sin profesión ni domicilio fijo, aunque a la mujer se la identificó como una profesional de la prostitución y traficante de drogas. Tras un severo registro de los taquilleros del vestuario, se procedió a la detención de cuatro titulares del Centellas que guardaban cocaína en cantidades que al parecer superan las del consumo estrictamente personal. Aunque aún es prematuro adelantar el desvelamiento total de lo sucedido, las hipótesis más certeras abundan en la presunción de que Alberto Palacín era un importante contacto con la mafia americana y que Marta Becerra Gozalo y M. Ll. eran distribuidores a su servicio. Todo parece indicar que el futbolista fue asesinado por la pareja en el calor de una disputa motivada por la distribución de la droga y que el Centellas F. C.

era una tapadera para operaciones de distribución cuyas ramificaciones la policía está investigando en estos momentos. El presidente del club, el industrial Juan Sánchez Zapico, ha lamentado estos hechos que pueden poner en peligro la supervivencia del histórico, entrañable club, amenazado de cierre tras una larga agonía deportiva paralela a la no menos larga y determinante agonía económica. Sánchez Zapico, valiente luchador por la supervivencia del club, expresaba a nuestros redactores su desolación y recurrió a una frase histórica para revelar su estado de ánimo abatido: yo no he enviado mis naves a luchar con estos elementos.» ¿Por qué la mujer tenía nombre y apellidos y su pareja sólo iniciales? Carvalho disponía de dos respuestas: o la influencia de la familia o se trataba del que había dado el soplo sobre el alijo. Nada se decía en la nota de pruebas circunstanciales, del arma del crimen, de qué mal viento había muerto aquel delantero centro cuyo breve *curriculum* Carvalho leyó con un interés que le sorprendió a él mismo. Hay quien nace con estrella y hay quien nace estrellado, se comentó al terminar de enterarse de la poca vida y los menos milagros de Palacín, y en la retina secreta de la memoria quedó el dato de que se estaba buscando a la ex mujer y a su hijo para comunicarles la noticia. Carvalho tenía demasiado día por delante. La llamada de Basté le había cogido curándose de los efectos de una botella de tinto de Cacavelos que se había bebido a su propia salud, brindando consigo mismo en un repentino deseo de que la noche se convirtiera cuanto antes en somnolencia y olvido.

—Mañana internan a Bromuro. Por fin le han dado cama —le habían avisado Biscuter y Charo, por orden de aparición telefónica.

Se bebió la botella. Se quedó dormido. Camps O'Shea trataba de suicidarse. Fue a oír cómo vomitaba, cómo lo vomitaba todo, y ahora tenía la sensibilidad llena de muertos y premoniciones de desgracia. El delantero centro había sido asesinado al atardecer. Si el destino existiera, pensó, habría que suicidarse. Pronto. Mucho.

—¿Cuántas horas llevas de pie?

Marta se encogió de hombros, pero tan simple gesto le causó un dolor vibrante en todo el cuerpo. Se sentía como un cable de acero tenso y dolorido desde la punta de los pies hinchados hasta la cabeza que le caía por el cansancio y el peso interior del desconcierto convertido en un tumor que se le iba pudriendo a medida que daba vueltas al absurdo que habían vivido.

—¿Te gustaría sentarte?

¿Cómo se llamaba aquel poli tan de mierda como los otros pero que fingía la amabilidad de un caballero cediendo el asiento en el autobús a una dama?

—Te voy a contar lo que ha pasado y si luego tú me lo cuentas tal como yo digo, firmas y te sientas, y duermes. Puedes dormir las horas que quieras, Marta. Mira, hija. Te sentirás aliviada. Tú tenías un lío con el futbolista. Él traficaba a lo grande y tú a lo pequeño y habías liado a ese desgraciado que va contigo. Pero Palacín te hizo una jugada y fuiste a pedirle explicaciones, y como no te las dio, le pinchasteis.

—¿Con qué? Íbamos sin armas.

—Tu compañero llevaba una navaja.

—Para limpiarse las uñas.

Le dolía pensar. Le dolían las bofetadas que había recibido desde el primer momento y sobre todo los límites de un cuerpo que no había podido recogerse desde hacía horas, ni siquiera sentarse en la taza del retrete. Me voy a orinar. Pues méate encima. Y lo había hecho y le habían pegado dos puñetazos en la espalda y amenazado con hacerle beber los orines. ¿Dónde está mi compañero? Ése ya lo ha cantado todo. Pagarán una fianza y a la calle.

—Lo hicisteis porque estabais colgados. Si estabais colgados consta como atenuante. Tú sabes que estabais colgados. Si no hubierais estado colgados no habríais hecho lo que hicisteis.

—Sólo queríamos cogerles las carteras.

—¿Y el coche robado?

—Viajar. Queríamos viajar.

—Y hay más cosas, Marta, hija. Dímelo a mí que te

veo como a una hija. Pero te suelto a esos que son más jóvenes y son capaces de cualquier cosa. En este oficio hay de todo, como en todos los oficios. Tú sabes que hay más, mucho más, y en cambio te lo arreglo bien si me das una salida. ¿Comprendes? Yo no puedo ir a mis superiores o a esos bastardos de la prensa y salir por peteneras. Tú has de ayudarme y yo te ayudo. Confiesa lo de Palacín. Es un traficante y te puteaba.

—No. No era un traficante. Era un desgraciado como yo.

—Dieciocho horas sin dormir y sin sentarte, muchacha. Y serán veinte, treinta, cuarenta... y te aplico la ley antiterrorista porque me puede constar que preparabais un atraco, ¿comprendes, Martita? Oye, tu compañero ha sido más listo que tú. Ya ha firmado y no te deja demasiado bien que digamos.

—Que me lo diga a la cara.

—Poca cara va a quedarte cuando te deje en las manos de esos salvajes. ¿Quién te ha hecho esos arañazos? Nosotros no arañamos. Eso seguro. ¿Fue Palacín antes de morir?

—Ya estaba muerto cuando entramos en el vestuario.

—Parece mentira, una chica con cultura como tú. Hemos hablado con tu hermana y con tu cuñado. Son personas respetables. Y tu compañero, mejor todavía. Oye. Tiene un padre influyente y ni tú ni yo nos chupamos el dedo. Él lo tiene más fácil porque su familia tiene dinero, pero la tuya me parece que no. ¿Por qué no eres razonable? ¿Cuándo y cómo te pasaba la droga Palacín? ¿Qué os hizo para que le pincharais?

Había perdido el sentido del tiempo y ni siquiera sabía dónde estaba Marçal. ¿Dónde está Marçal? ¿Cómo está?

—Mejor que tú. Ya ha firmado. Pronto lo llevaremos ante el juez, una fianza y a casita a dormir, a descansar, a salir a paseo. No seas necia. Acabarás firmando lo que queramos. Acabarás firmando incluso lo que no has hecho. Es cuestión de tiempo y de unas cuantas hostias. A ti no te dirá nadie que se te van a tirar porque igual te gusta, eres bastante mierda, nena, para qué vamos a engañarnos. Pero dos hostias y dos patadas en la boca te las va a dar el menos chulo. Imagínate el más chulo. Fíate de mí. Nadie te hablará nunca mal del comisario

Contreras. Son casi cuarenta años de oficio, Marta. Un profesional siempre es un profesional. ¿Mataste a Palacín?

—No.

—Vas a reventar. Esa cara de hostia que tienes va a reventar a patadas. Por aquí han pasado tíos de muchos huevos que han acabado cantando *La Parrala* y no me va a pasar la mano por la cara una putilla pringada como tú.

Uno de aquellos hombres iguales a sí mismos, iguales a los demás, entró en el despacho y le dijo a Contreras que le esperaban.

—Vigila que esta tía no se mueva. Que ni siquiera ponga el culo en la pared.

Más allá de la puerta de cristal opaco le esperaban Camps O'Shea y Carvalho. Al detective le dedicó un gruñido y a su acompañante un apretón de manos de viejos ex combatientes en una guerra que sólo los dos recordaban.

—Llegan en un momento interesante. Las comisarías son así. Días y días de rutina y de pronto un caso que se convierte en un tema de dominio público y lástima que ese tipo ya sólo jugara en un equipo de mala muerte, pero había sido alguien, vaya si había sido alguien. Con usted quería yo hablar, y muy seriamente. Con usted, Carvalho, en cambio, me da igual. Con que escuche y sepa a qué atenerse, me basta.

Les hizo pasar a un despacho y se sentó esperando que ellos hicieran lo mismo. Carvalho lo hizo, pero Camps permaneció de pie hasta que Contreras le ofreció asiento.

—Mire, probablemente no les habría molestado si no se hubiera producido esta curiosa coincidencia. El delantero centro será asesinado al atardecer. Y en efecto, fue asesinado al atardecer, pero no, no era el mismo. ¿Qué nexo puede establecerse? Respondan ustedes mismos.

Carvalho y Camps se miraron, pero no se intercambiaron otra cosa que la expectación que el inspector había sabido crearles, y Contreras asumió satisfecho el protagonismo alcanzado.

—¿Ven alguno?

—Los astros —opinó Carvalho.

—¿Cómo dice?

—Conjunciones astrales.

—Con usted ya no sé ni por qué hablo, y lo que menos me explico es que alguien pueda perder el dinero contratándole. No. No hay ningún nexo. No puede haberlo. Los anónimos van dirigidos a sembrar desconcierto en un club poderoso y en el sector de la sociedad que representa. En cambio este crimen es un asesinato de cloaca, uno de tantos protagonizado por ratas. La casualidad ha querido que el muerto hubiera sido también delantero centro. Pero estaba predestinado. Algo guía el destino de los hombres a ser vencedores o perdedores. Y una vez establecida esta conclusión, es preciso que lleguemos a un acuerdo. Ahora, más que nunca, interesa que el secreto de los anónimos quede bien guardado. Que nunca se sepa, aunque sigan llegando, porque sin duda son anónimos de un vacileta que no sabe ni disparar en las atracciones. Pero imagínense que se filtra lo de los anónimos y esas lumbreras de la prensa empiezan a hacer literatura a causa de que Palacín también es delantero centro. Ni les beneficia a ustedes ni a mí, que ya tengo el pie en el cuello de la asesina y además inductora al asesinato a un pobre chico, de muy buena familia, que ha ido dando tumbos detrás de ella. Esos anónimos deben seguir siendo eso, anónimos. ¿De acuerdo?

Camps asintió y secundó el movimiento iniciado por el comisario para disolver la reunión.

—¿A quién le han pasado el consumado?

—Eso no es cosa suya, Carvalho. Está todo ligado. Ya ha salido una nota en la prensa.

—¿Puedo ver a esa pareja detenida?

—¿Son clientes suyos? ¿Le paga el señor Camps para que se preocupe por ellos?

—Tal vez tengan relación con los anónimos. Igual les he visto merodear por el estadio.

—No nos complique la vida, Carvalho. ¿Qué opina usted, señor Camps?

—El señor Carvalho es muy profesional.

—Tengo a la pareja por separado. Aún no me interesa carearles. Primero él.

Él estaba sentado junto a un abogado que le había enviado la familia y dictaba la declaración que previamente le dictaba el mismo inspector que la tomaba a máquina. Estaba recién afeitado y tenía la mirada más retenida que huidiza, aunque sus ojos se echaban a correr cuando alguien trataba de leer en ellos. La mujer en cambio permanecía de pie, con un intransferible cansancio encima de un cuerpo que pregonaba los nuevos y antiguos malos tratos de toda una vida, y Carvalho la reconoció como la joven putilla que le propuso un polvo literario, pero ella no le reconoció a él y le dedicó una mirada de odio desesperado y cobardía.

—¿Cómo te han tratado, chica?

—No haga preguntas tontas, Carvalho —había saltado Contreras a su espalda, tratando de contenerle, de momento sólo con la voz.

—¿Cómo me van a tratar éstos? Son polis de mierda.

—Tengo memoria. Me acordaré de lo que has dicho cuando se vayan estos señores. No te vas a sentar en diez días. ¿Te enteras?

Otra vez en el pasillo, Contreras estalló contra Carvalho. Le cogió por las solapas y se congestionó en un cara a cara que parecía un mordisco.

—¿Te crees muy listo, huelebraguetas?

Camps terció y recibió un empujón de palabras: usted métase donde le llaman.

—¿Qué quiere probar este mamón?

Avanzaba chulesco hacia Carvalho el semiólogo Lifante.

—Quiere tocarnos los huevos. Como siempre.

—A ese chorvo le habéis sacado lo que ha querido, pero a la chica os costará más.

—Ese chorvo, para que te enteres, ya ha firmado que ella lo montó todo y que no empezó la cosa en el campo, sino que ya antes habían atracado a la dueña de una pensión del barrio Chino, de la calle de San Rafael. ¿Con quién te crees que tratamos? Esta gente es basura y lo mejor que podría hacerse por ellos y por los demás es enterrarla. Tú estás aquí de visita. Nosotros somos limpiadores de mierda. Estamos todo el día entre basura y jugándonos el tipo por cuatro cuartos y aún mal vistos por gentecilla que piensan que un policía es tan mierda como un chorizo. Vete, antes de que te meta tus derechos constitucionales por el culo.

Cuando salió a la calle en compañía de un Camps

O'Shea lívido, trató de explicarse el porqué de su reacción y tuvo que remontarse a la lectura de la prensa de la mañana, a aquella separación entre el bien y el mal que había reducido el nombre del cómplice a las iniciales y el de la chica en cambio quedaba proclamado para siempre a los cuatro vientos. Se lo contó a Camps dudando que lo entendiera, pero Camps llevaba otro discurso interior que aparecía tan obsesivo como compasivo.

—Es injusto, esencialmente injusto.

—Parece como si descubriera ahora que la desigualdad existe. ¿De qué probeta se ha escapado, amigo? El chaval ese se va a librar, antes o después. A ella le va a caer un buen palo, aunque lo del vestuario me huele a montaje. Llegan, matan, son detenidos. De película barata.

—Es injusto. Injusto lo que me hacen.

Él era la víctima de la injusticia. Carvalho se detuvo en seco y esperó a que él hiciera lo mismo y se le encarara, pero Camps seguía su marcha murmurando todas las variantes de la palabra justicia.

—De qué justicia habla. ¿Quién ha sido injusto con usted?

—Yo he creado una pequeña maravilla. Una expectación. Y ahora viene este desenlace grotesco, grotesco, asqueroso, y ese horrible comisario lo quiere enterrar todo y todo queda en manos de unos chorizos tan siniestros, tan sórdidos... Es todo tan cutre...

Escupió la palabra cutre como si le escociera en los labios.

—No saben distinguir entre el crimen como propuesta de obra de arte y la chapuza de unos miserables. A esos policías les da igual. A Basté le da igual. ¿Ha visto usted cómo me trataba esta mañana? ¿Recuerda lo que me dijo? Carvalho, cuando tenga un momento repase los anónimos. Creo que el mejor es el primero. Pero los otros dos tienen también su gracia, su fuerza y están estudiados en función de un crescendo. De un crescendo poético, naturalmente. El primero quizá sea el más mío, el que más expresa unas atrasadas hambres de expresarme, el que mejor me traduce. Pero los otros dos son igualmente dignos, aunque se aprecia la influencia de Espriu sobre el primero y de Borges en el segundo.

Ahora lo había descubierto. Más que un poeta frustrado, era un crítico literario sin escritor que ponerse.

Durmió mal y tuvo una pesadilla. *Bleda. Bleda* había vuelto a casa. A él le constaba que le habían matado al perro y él mismo lo había enterrado, pero no, *Bleda* había vuelto a casa, tan juguetona como cuando era un cachorro, pero más sabia, como si en los casi diez años de ausencia alguien la hubiera amaestrado para perro de circo. La lobita se ponía sobre sus patas traseras y caminaba como una niña cursi, con una sonrisa de *cover girl*, las orejas tiesas y la lengua lamiendo el entusiasmo del público, y cuando terminó el espectáculo el perro le dio explicaciones y le dijo que había querido volver antes, pero que Amaro no la dejaba: Amaro había sido su entrenador y parecían enamorados, más Amaro de la perra que ella de él, porque en cuanto Carvalho le pidió que volviera a casa, *Bleda* contestó que sí con rotundidad y Amaro reconoció su derrota. Mira, Biscuter, ha vuelto *Bleda*. Está más delgada, jefe. Charo, ha vuelto *Bleda*, y Charo lloraba, diez años de lágrimas aplazadas en espera del retorno de *Bleda*. Y cuando se despertó tendió la mano para recuperar el roce del lomo del animal, como en un acto reflejo congelado durante diez años, desde que mataron a *Bleda* y él la había enterrado. Y no estaba. Sólo la realidad permanecía al lado de la cama, la obscena realidad imponiéndole continuamente el mismo programa de vida: pagar las deudas y enterrar a los muertos. Pero mientras volvía a aceptar la segunda muerte de *Bleda*, constataba que en el decorado de su imaginación habían reaparecido situaciones y rostros de aquellos años: el caso del empresario desclasado, los constructores de la ciudad para inmigrados, aquella sensación de que todo había cambiado para que muy poco cambiara. El propio Stuart Pedrell, el rico con mala conciencia que en mil novecientos setenta y ocho había intentado viajar a la otra cara de la ciudad, a unos sarcásticos *mares del sur*, con diez años de perspectiva parecía un adolescente inmaduro e imbécil. La raza de los ricos con mala conciencia se había extinguido, acorralada quizá por la de los que tienen

185

mala conciencia por no ser ricos. Basté de Linyola o Camps O'Shea eran las personas inteligentes más peligrosas que había conocido, salían del bien y para entrar en el del mal y viceversa, sin otro requisito que cambiar de lenguaje o de silencio. Basté utilizaba la filosofía y Camps la poesía, pero eran dos chorizos, dos chorizos esenciales y caucasianos, confundidos con todos los chorizos esenciales y caucasianos, más difíciles de identificar en las comisarías que los moros o los negros. Tan difícil, que nadie se tomaba la molestia de identificarlos. Y sobre el mármol de Morgue donde volvía a estar el cuerpo degollado de *Bleda*, reposaba también el delantero centro acuchillado, un cuerpo vestido de futbolista y cosido a puñaladas, un contrasentido visual que no predisponía a la tragedia, como si fuera un muñeco con la identidad debida al rugido de los públicos. Nadie parecía reclamar aquel cadáver. No era de nadie, aunque trataran de colgárselo a la pareja de yonquis y sobre todo a ella porque no tenía un padre perteneciente a las que seguían siendo fuerzas vivas de esta ciudad, de cualquier ciudad, como siempre, para siempre. Palacín, para Carvalho, era la sombra de un recuerdo. Le importaba menos la memoria rota que la presencia actualizada de aquel juguete roto, y tras reflexionar un tiempo sobre la recién adquirida obsesión, trató de apartarla de sí. Te conozco, Pepe, y nadie te ha dado vela en este entierro. Que se apañen. Pero cuando salió a la luz otoñizada de su descuidado jardín de Vallvidrera, bastó una mirada sobre la esquina donde había enterrado a *Bleda* para que ante sus ojos se interpusiera el cuerpo de Palacín, vestido de futbolista ensangrentado y como flotando en un espacio ingravidado. Y entonces aceleró sus movimientos de vestirse y meterse algo caliente en el cuerpo para llegar cuanto antes al coche y detenerlo en la plaza de Vallvidrera para comprar prensa de la mañana. El caso Palacín ya no estaba en la primera página, pero sí en la que abría la información local y quedaba definitivamente atribuido a la pareja. Se esperaba que pasaran pronto a disposición judicial, aunque todas las especulaciones conducían a la mujer como instigadora y autora material del crimen, mientras que el hombre quedaba como un pelele sin voluntad. Sánchez Zapico había conseguido por fin un protagonismo público y aparecía fotografiado y expresando una vez más su desconcierto y el grave peligro de supervivencia que se cernía sobre el club.

«—Tal vez los que critican mi fanatismo por el Centellas tengan razón, y si comprendo que tienen razón, tiraré la toalla. Quiero recuperar tiempo para dedicarlo a mis negocios y a mi familia. Ser presidente de un club es muy absorbente y sobre todo de un club modesto en el que un presidente ha de serlo todo: el contable, el técnico supremo y un padre para los jugadores.»

De Palacín sólo podía decir que había rendido a plena satisfacción y que era muy apreciado por sus compañeros, y sobre la cocaína encontrada en los casilleros de otros tres jugadores su respuesta sorprendió a Carvalho.

«—Yo no puedo salir fiador de la vida privada de mis jugadores. Son mayores de edad. Asumo la catástrofe y actuaré en consecuencia.»

No le pareció a Carvalho que ésta fuera la actitud esperable en un hombre deseoso de salvar a su equipo por encima de cualquier cosa. Tiraba demasiadas toallas y con demasiada precipitación, como si quisiera acabar el combate cuanto antes. En *El Periódico* había una crónica de la vida de Palacín escrita por un tal Martí Gómez y con una clara simpatía hacia el personaje. «El último partido de su vida lo perdió por tres puñaladas a cero y ahora los responsables de la Federación Española de Fútbol buscan algún familiar que entierre a este muerto. En su modesta pensión de la calle de San Rafael, la señora Concha no ha querido hacer declaraciones, es decir, sólo ha hecho una declaración: "Palacín olía demasiado a linimento." Olía a hombre golpeado. Y doña Concha ha añadido: "La vida es como la escalera de un gallinero. Corta pero llena de mierda."»

Condujo el coche hasta el parking de las Ramblas y se dejó llevar por sus propias piernas a la calle de San Rafael, para localizar escenarios, se dijo, como los directores de las películas, pero apenas si vaciló cuando se le abrió el cavernoso portal de la pensión Conchi y subió hasta encontrar el pequeño rótulo a una puerta diríase que nueva, aunque tal vez la impresión de novedad la aportaba la arrinconada vejez de la escalera. La puerta se abrió un resquicio y por él asomó el ojo araña de la señora Concha, parpadeante cuando comprobó que era un hombre de aspecto severo y mirada de autoridad. La palabra investigador le hizo retirar la cadena y alisárselo todo, los cabellos, el vestido, como si las manos acabaran de perfeccionar la estatua. Llevaba un vendaje la señora Concha en la coronilla y alguna señal tenía en la cara más maquillada que el término medio aconsejaba por las estadísticas, pero el desconocido tenía un polvo y adoptó maneras de *madame* de prostíbulo de New Orleans ante los clientes enigmáticos y con trastienda, como si entre Carvalho y ella existiera una complicidad tan larga, ancha, profunda y fugaz como la del Mississippi.

—Perdone el desorden, pero a esta hora de la mañana y con todo lo que ha pasado...

Carvalho le señaló su propia cara, como obligándola a abandonar su papel de anfitriona exquisita.

—¿Quién le ha hecho eso?

—Es un secreto entre el inspector Contreras y yo. ¿Quién me lo va a hacer? Unos mal nacidos. Una mal nacida.

—¿Tiene que ver algo con lo de Palacín?

Se sacó un pañuelo arrugado de la cintura y se lo llevó a los ojos. Lloraba de verdad.

—Aún tengo el corazón tan tierno... Qué gran muchacho. Qué criminales. Tendrían que hacer como el Jomeini, que les corta las manos a los criminales.

—¿Qué sabe usted de Palacín? ¿Tenía visitas? ¿Era conversador? ¿Había contado cosas de su vida pasada o de sus proyectos?

¿Conversador? Ante la palabra, doña Concha se sintió convocada como la solista ante la incitación de la orquesta. ¿Conversador? Un muerto, y que me perdone el pobretico porque bien muerto está, pero era un muerto, en paz descanse. Y lo metió en la pensión porque tenía buena planta y le pagó cuatro meses por anticipado, pero llegó sin antecedentes y para ella seguía sin antecedentes, porque el fútbol no le decía nada y a ella le parecía cosa de chicos, no de hombres hechos y derechos. En cuanto a sus relaciones, ella se había hecho la ciega, pero bien había visto cómo la putita esa le iba detrás al futbolista, con su rollo de polvo literario y la media lengua de colgada que tenía y esos ojos sucios, de rata, de rata, sí, que no sé cómo no me di cuenta antes y me compadecí de ella porque me dio pena, para que luego me hiciera lo que me hizo.

—¿Qué le hizo?

—¿Que qué me hizo?

Era obvio. Su cara lo atestiguaba y se dio cuenta de que sin decir nada ya lo había dicho todo y se llevó la mano a la boca, pero no, allí no había palabras, por allí no había salido nada. Eran los ojos, los ojos de Carvalho los que estaban leyendo sus golpes.

—Como se entere el inspector Contreras me mata. Me dijo: señora Concha, éste va a ser un secreto entre usted y yo.

—Es decir, los golpes se los dio la chica y su compañero.

—Que Contreras me mata, que se lo guarda para no sé qué.

—Ahora será un secreto entre usted y yo. Usted y yo sabemos que la vida es como una escalera de gallinero, corta pero llena de mierda.

—¿A usted también le gusta esta frase? Siempre la decía mi padre. Y qué razón tenía. Qué pago me ha dado esa zorra. Vengo de dar un garbeo y me la encuentro en casa y todo revuelto y en seguida me hago cargo de la situación, después de que le he dado de comer, de comer sí, porque me daba lástima y me viene a robar y se piensa que soy tonta y dejo el dinero a la vista de todo el mundo.

—Vinieron a robar y no encontraron nada.

—Ni un céntimo, y eso que hasta me descompusieron al inválido de la habitación del fondo del pasillo que tuvimos que llevarlo a la UVI y ahora a una terminal, porque el tío no se recupera del susto. Una terminal es un sitio de esos a los que llevan a los viejos desahuciados.

—¿Y no encontraron nada?

Por la cabeza de Carvalho pasaban una serie de fotos fijas en las que una pareja de torpes ladrones ilustrados empiezan a correr sin aliento hacia su propia catástrofe y saltan por encima de sus fracasos con voluntad de suicidas.

—Y entonces se fueron a robar al vestuario. No hay otra explicación.

189

—Yo lo veo igual, pero el señor Contreras, el inspector, vamos, me dijo que yo no pensara, que ya pensaba él, que lo de la droga estaba probado y que iba a hacer un escarmiento. Que ella y el desgraciado ese que llevaba siempre como a un lisiado, lo hicieron todo colgados y bien colgados, me lo creo, pero a lo que iban era a por los cuartos.

—¿Vio a Palacín drogado alguna vez?

—No. Y eso que me dio qué pensar el olor que echaba su habitación, y es que ahora se vacila hasta con pegamento Imedio o con pintura. Pero no, la habitación olía a linimento. Se cuidaba mucho. Yo nunca le vi pirado, pero en cuanto me di cuenta de que la lagarta esa le iba detrás y se lo llevaba a su casa, me dije: no va a acabar bien. A mí pocas cosas se me escapan desde este balcón. Este balcón es mi vida. Mi única distracción, este balcón y la tele, el programa de «Filiprim», y ese hombre tan serio y tan salao, el profesor Perich. ¿Lo ve usted ese programa?

—Casi nunca veo la televisión. Me duerme.

—Pues yo no sé qué haría sin mi balcón y sin mi televisor. —Y nada más decirlo se le puso la cara de piedra y estudió a Carvalho para ver el efecto que le habían producido sus palabras.

Carvalho desvió la mirada e inició la despedida, quería marcharse cuanto antes con su intuición de secreto desvelado. Doña Concha guardaba el dinero o en el balcón o en el televisor.

Doña Concha se cagó veinte veces en la madre que le había parido. Tengo la boca blanda, soy una bocazas. Esperó a que Carvalho se perdiera por la calle de Robadors arriba y acarició descuidadamente la maceta dentro de la que guardaba el dinero. Una maceta con doble fondo y de la que colgaba una hiedra de plástico que siempre le elogiaba la lechera.

—Desde la calle es tan bonita, tan bien hecha que parece de plástico.

Pero no le quedaba demasiado tiempo para la autoflagelación y se fue a la habitación para ponerse guapa, se dijo, guapa, que buena falta le hacía con la cara de mapa que le habían dejado aquellos chorizos. Guapa de comisaría. Guapa discreta pero pidiendo guerra, porque los policías en el fondo son muy marchosos y les gustan las mujeres guerreras. Un vestido estampado en tonos malvas y unas medias negras con costura, un cinturón que parecía de plata y era de plata y tres sortijas en cada mano que parecían buenas y eran buenas. Si no se pueden llevar las sortijas ni a la comisaría, ¿para qué se tienen? Y aunque a través de la calle del Hospital, las Ramblas y Puertaferrisa podía llegar a la comisaría caminando, con tanta joya encima no se atrevió y subió a un taxi como una reina a la que el chambelán le ha prohibido dar ni medio paso. Y con andares de reina pidió por el inspector Contreras y le dolió que el inspector apenas le hiciera caso mientras le decía:

—Usted espere aquí.

Y allí esperó, sentada en el pasillo de jefatura, en una silla dura y vieja, rodeada por todas partes de oficinas con cristales opacos y un trajín de no sabía qué, bueno sí sabía de qué, pero es que todo el mundo iba a su trabajo y no le decían ni ahí te pudras. Por fin a la media hora volvió Contreras concentrado, sin mirarla.

—Con usted quería hablar yo, inspector.

—Me parece que era al revés, pero diga.

—Es que ha venido un tipo muy raro esta mañana a la pensión y me ha dicho que era un investigador.

—El mierda de Carvalho, como si lo estuviera viendo.

—Y que si patatín, que si patatán.

—¿Y usted le ha dicho algo de lo nuestro?

—¿Yo? Que me caiga ahora mismo muerta si he dicho algo.

—A ese tío no hay que decirle nada porque es un fisgón que no tiene donde caerse muerto. Bueno. Ni un minuto más dedicado a ese huelebraguetas.

Se echó a reír doña Concha.

—Huelebraguetas, qué cosas dice usted. ¿Es maricón ese hombre?

—No todos los que huelen braguetas son maricones, mujer. Usted se ha pasado buena parte de su vida oliendo braguetas y no lo es. A lo que íbamos. Le he hecho llamar porque ha llegado el momento. La voy a carear con la chica. Ella no sabe que yo sé que empezó agrediéndola a usted. ¿Entendido? La quiero sorprender.

—Le voy a dar lo que se merece.

—Usted quieta y sólo mueva la boquita. ¿Entendido?

A doña Concha le pinchaba el corazón cuando taconeaba tras el inspector y casi se le sale del pecho cuando detrás de una de aquellas puertas de cristal vio a Marta, junto a una pared, con el cuerpo oscilante sobre los pies, más despeinada que de costumbre, con la cara hinchada y arañada, la ropa abandonándola, sudada y con los ojos abultados por el sueño, y le dio lástima y estaba muda doña Concha cuando el inspector le preguntó si la conocía.

—Que si la conoce, leche. ¿Está sorda?

—Claro que la conozco.

—Ésta fue la que intentó robarle, la misma a la que usted daba de comer y la metía en su casa y va e intenta robarle y la deja medio muerta, ¿no es cierto?

—La verdad, toda la verdad, señor inspector.

Pero le temblaba la voz de lástima, sobre todo porque veía que la chiquilla era un puro trapo y le parecía que cada vez más arrugado.

—¿Está usted dispuesta a suscribirlo?

—Claro, señor inspector.

—Pues vamos. Y tú dedícate a pensar. Lo que te faltaba, ya has visto.

Doña Concha quería decir algo, algo importante, algo antes de salir, algo que expresara su amargura y al mismo tiempo su grandeza de alma, y mientras preparaba el giro hacia la puerta alzó la cabeza en dirección a Marta y le dijo:

—Para mí has muerto, pero te perdono.

Y se marchó con un pasodoble en la cabeza que sólo ella escuchaba, achuchada por los pasos del inspector urgido por una secreta prisa. La dejó en manos de un jovenzuelo sentado ante una máquina de escribir y se fue el hombre a su despacho donde le esperaba Lifante y otros dos inspectores jóvenes.

—Bueno. Si no funciona este golpe habrá que baldarla o dejarla por imposible.

—Nos acercamos a las setenta y dos horas y no le vamos a aplicar la ley antiterrorista.

—¿Cómo coño le vamos a aplicar la ley antiterrorista después de todo el lío del *Nani*? ¿Pero en qué piensa usted, Lifante? No me haga más análisis de contenidos. Tráigame al niñato ese, ¿está bien planchado?

—Recién salido de la ducha.

—Con la declaración firmada y en plan de marcha. Que se note.

Mientras cumplían sus instrucciones volvió al despacho donde estaba Marta y sin mirarla le dijo:

—Siéntate.

Ella le dedicó una mirada incrédula.

—Siéntate, mujer. ¿No me has oído? Ya es inútil que resistas. Todo está claro.

Marta se sentó y junto al alivio sintió un terrible dolor en el centro de la espalda. La puerta se abrió y apareció Marçal seguido de dos inspectores. Llevaba una bolsa de plástico en la mano. Parecía fresco y tenía luz de droga en los ojos.

—Bueno, ya estamos todos. Este chico se va. Ha cumplido y se va. Dale la declaración, Lifante. Coge la declaración de tu socio y léela.

La leyó sin leerla. Lo aceptaba todo, todo lo que Contreras quería que ella aceptara. Pero en cambio él quedaba como un corderito pasivo que la había secundado sin darse demasiada cuenta de lo que estaban haciendo. Dejó el papel sobre la mesa y quiso pensar pero no podía. Sólo sentía cansancio.

—Él ahora se va al juzgado. Y allí su papá le pagará la fianza y esta noche o mañana en casita, tan peripuesto, tan fresco, tan inocente... Y tú tan tonta. Ya ves que lo sabemos todo, mujer. Hasta lo de la dueña de la pensión. Que se vaya ése.

Y se lo llevaron. Ella esperaba que él dijera algo, algo que resumiera diez años de compañía, diez años de huir hacia adelante. Paladeó la expresión, como si paladeara un resto de cultura que le venía a la boca mal digerida por un estómago enfermo. Huida hacia adelante. Contreras parecía relajado.

—Yo no lo maté.

Contreras le señaló la declaración de Marçal.

—De eso ya se encargarán los abogados. Firma y sal de esta casa. Tú habrás cumplido. Yo también. Todo lo demás lo harán los abogados y los jueces. Ya verás, te saldrá bien. Y en cuanto salgas de aquí te sentirás otra.

La comisaría agota más que la cárcel, te lo digo yo que me paso el día en una comisaría. ¿Firmas?

—Venga.

—¿Qué quieres tomar? ¿Un café con leche? ¿Algo sólido? ¿Te suben un bocadillo de la cafetería? ¿Un croissant?

—Un croissant.

Contreras le apoyó una mano en el hombro mientras pasaba a su lado. Se quedó sola y saboreó la silla, como si fuera una cama blanda y cálida para el frío profundo que llevaba en los huesos. Durante diez años había estado sin dormir. Había estado de pie esperando su propia destrucción, sin dormir, y ahora estaba allí, la envolvía, era ella misma, la destrucción, y Marçal se había marchado para siempre. Volvería a su casa, a otro intento de regeneración y tal vez esta vez funcionaría porque no podía volver a ella, aquel pequeño miserable que había crecido en su piel como un parásito. Ya la vieja de mierda le había dado la puntilla. No hay que fiarse de la gente a la que damos lástima. Cuando estuviera menos cansada se echaría a llorar, pero necesitaba un rincón, aunque fuera el rincón de un calabozo. Su hermana acabaría por ayudarla y su madre y aquel pariente que siempre había sido un punto de referencia de poder, siempre, desde que ella era pequeña, sabía que el poder era el primo no sé cuántos, que estaba bien visto, bien visto antes, bien visto ahora. Y el capitán Garfio la ayudaría a cambio de un sermón. A la gente le gusta ser generosa para ocultar sus miserias. Estaba dormida cuando Contreras llegó con los papeles y el comisario la dejó dormir, pero le puso vigilancia.

—Dentro de media hora la despiertas.

—Se le va a enfriar el café con leche.

—Pues que se lo calienten.

Lifante se sentó en la silla y la inclinó hacia atrás, sobre las patas traseras, para poder poner los pies sobre la mesa después de haberse quitado los zapatos. La chica dormía sentada, extrañamente tiesa y respiraba mansamente. Lo que hace el cansancio, pensó Lifante, y del examen aséptico pasó al analítico. La muchacha era una interesante propuesta de estudio de la expresión corporal. Un lector ignorante de lo histórico, es decir, que no supiera la historia general y particular que la había llevado a aquella silla, ¿podía inducirla a partir de un examen del cuerpo tal como estaba, del cuerpo como único dato? Cerró los ojos y deshistorificó su propio saber. Vamos a ver. Yo no sé que esta chica ha estado casi tres días de pie, sin dormir, que está acusada de intento de robo, agresiones, tráfico de drogas y asesinato. Yo sólo sé que he entrado en esta habitación y la he visto tal como está. Aquí tengo un sistema de mensajes pasivos y debo aplicar el principio de Moles y Zelteman: a toda información estricta se sobreponen una serie de informaciones interpretadas por el receptor. Un cuerpo que parece maltratado y que reposa en tensión, mal vestido originalmente, pero además ese mal vestido está deteriorado por un descuido impuesto, probablemente por una circunstancia que condicionaba ese descuido. Cuerpo maltratado-signo de violencia, reposotenso y a la defensiva, elementos de supervivencia acuciada, elemento soporte (silla) inadecuado para el cansancio profundo que expresa ese mismo cuerpo. Con todos esos elementos yo puedo llegar a una conclusión pero no a una conclusión inocente, puesto que mi memoria visual, es decir, mi cultura visual me hace asociar este sistema de signos a escenas similares que he visto en el cine o en la televisión o que he leído en los libros. Es decir, no sólo hay, cómo dirían Moles y Zelteman, información estricta y en este caso objetual e informaciones interpretadas por mí, sino también referencias que ayudan a encontrar el significado de la situación: una de dos, o esta chica está en la boca del lobo de unos gángsters que la han maltratado o en una oficina de comisaría de policía donde ha sido interrogada. Es curioso cómo todo tiende a tener historia, cómo cualquier análisis lleva a lo histórico, aunque eso pueda disminuir el placer del análisis.

—Lifante.

—Dígame, inspector.

—Despiértela.

Se calzó y se puso en pie para aproximarse a la mujer. Le puso la mano sobre el hombro y notó su poquedad física. Algo le repugnaba en aquel contacto, pero no sabía si la causa era el cuerpo como dato o lo histórico. La muchacha se despertó bruscamente y quiso ponerse en pie.

—Tranquila. ¿Un café con leche? Está frío porque la hemos dejado dormir un rato.

Ella se encogió de hombros y bebió el café con leche primero a pequeños sorbos y luego con avidez. ¿Por qué bebe el café con leche de esta manera? ¿Es una pauta cultural? ¿Una *manera de*, como diría Princeton, o esta *manera* no lo es, sino una simple respuesta refleja a una necesidad elemental y urgida por la circunstancia? Y el croissant lo devoraba. En el fondo esta chica tiene muy buena salud, pensó Lifante, y se alegró por ella.

Sánchez Zapico declaró que entre él y Carvalho se alzaba una muralla de obstáculos insalvables, pero al filtrarle su secretaria dos de las palabras que habían salido de los labios del visitante, las rumió y finalmente decidió recibirle: Contreras, investigación; sobre todo, Contreras. No obstante se predispuso a recibirle como un hombre atareado, con las maneras de estar pendiente de simultáneas llamadas de Tokio o Singapur o San Francisco, pero atendiendo realmente la pluralidad de intereses de chatarras, peladillas y construcciones que rebotaban por las paredes de un despacho barato merced a las llamadas telefónicas y a sus gritos a las dos secretarias. Resumiendo, resumiendo. Tenía que resumir Carvalho y tenía que resumir él: necesitaba un jugador bueno pero barato, el Centellas no podía permitirse grandes fichajes y había recurrido a un intermediario en otro tiempo muy conocido: Raurell. ¿No recordaba a Raurell? Pues daba lo mismo, pero en los años sesenta, cuando sólo se podían fichar oriundos latinoamericanos, Raurell había llenado España de hijos de padres españoles, falsos casi todos ellos. Ahora era un intermediario venido a menos, casi jubilado y su catálogo estaba en consonancia con él mismo. Cuando Carvalho le preguntó qué referencias había tenido de Palacín, contestó que el recuerdo. Palacín ahora como futbolista no existía y no están las finanzas del Centellas como para encargar un vídeo. Vio unas fotos y unos recortes de prensa mexicanos en los que se decía que Palacín había dejado memoria de caballero, repito, memoria de caballero, entre la afición de Oaxaca.

—¿Con un jugador acabado esperaba remontar la crisis de su equipo?

—Yo no sabía que estaba acabado. Era un nombre, y un estadio como el del Centellas podía muy bien llenarlo Palacín y de hecho jugó partidos muy buenos. Conservaba parte de lo que había sido.

—¿Cómo se explica lo de la droga y que afecte a cuatro jugadores?

—No me lo explico. ¿Me lo puede explicar usted? Pues yo no me lo explico. Ahora tendré que *plegar*, ya estuvimos a punto de *plegar* cuando los futbolistas hicieron *vaga* (1), con la junta anterior. Desde que soy el presidente les pago cada mes trinco, trinco... a veces puedo retrasarme quince días, pero los profesionales cobran.

—Es curioso que tres de los implicados en el caso de la droga sean precisamente *amateurs* y sin problemas económicos. En cambio los profesionales más veteranos y sin un duro, no se han metido en el tráfico.

—Todo eso está muy tierno, ¿me entiende? Prosiguen las investigaciones y vaya usted a saber lo que sale al final, pero yo *plego*. Yo me voy a casa, retiro los avales y tendremos que vender el campo. El tiempo de don Quijote se ha acabado y yo ya estoy harto de ser un Quijote.

No era el primer caso de hombre que se engaña a sí mismo, y a Carvalho, Sánchez Zapico le parecía antes el fantasma de la ópera o Napoleón Bonaparte que don Quijote. Había demasiada amargura en sus palabras, como si la vida no sólo no hubiera sido como la esperaba, sino tampoco como se la había merecido.

—Échale horas al club, quitándoselas a la familia, para esto.

Se imaginaba a la familia de aquel quejica horrorizada ante la perspectiva de que pudiera dedicarle más horas.

—Todos los domingos esclavizado por los partidos y mi pobre mujer sin poder salir por ahí, como otros matrimonios, a *escampar la boira* (2).

Hablaba un castellano de lugareño de zarzuela ubicable en cualquier lugar de la España interior, pero

---

(1) Huelga.
(2) A pasar el rato.

salpicado con frases hechas de catalán coloquial. Parecía un agente propagandístico del bilingüismo venido a menos, un caso interesante para el inspector *polinesio* que le había presentado Contreras. Cuanto más insistía en sus sacrificadas protestas de lealtad imposible al club de sus amores, menos creíbles eran.

—Yo se lo debo todo a este barrio, a esta ciudad, a Cataluña. Yo me he hecho aquí y para mí el Centellas era el alma del barrio, pero hoy los barrios han perdido el alma, ¿me entiende? La gente ya no vive en la calle. De casa al trabajo, del trabajo al coche y, *apa!*, a la carretera a hacer salud, todos los fines de semana y el fútbol lo ven por la tele y de Maradona para arriba. ¿Qué se puede hacer desde un club modesto como el nuestro? Yo *plego*.

Carvalho trató de convencerle de que no abandonara la presidencia del Centellas, de que no podía dejar huérfana a toda una afición que confiaba en el espíritu de sacrificio de un inmigrante agradecido.

—Le van a echar mucho de menos.

—Ya se espabilarán. Nadie es indispensable, dicen, ¿sabe? Pero sólo lo dicen los inútiles, los que no sirven para nada, ya me echarán de menos, ya.

—Será una pérdida irreparable.

—Qué le vamos a hacer. Todo tiene un principio y un final. Es lo que me dijo mi mujer: te tomas las cosas demasiado a pecho y un día te va a dar algo.

—Es que es imposible que usted se vaya. No me puedo imaginar esta ciudad sin que usted presida el Centellas.

—¡Si nadie se va a dar cuenta! —se quejó Sánchez Zapico con la más desolada de las amarguras, pero un tanto intrigado por el interés tan evidente de Carvalho.

—No me imaginaba yo que la ciudad estuviera tan pendiente de mí.

—Esta mañana no se hablaba de otra cosa.

—¿Dónde?

—En todas partes. El propio Contreras está muy preocupado.

—¿Contreras? ¿Qué tiene que ver la policía con mi dimisión?

—Puede convertirse en un problema de orden público. ¿Se imagina la reacción de toda Barcelona ante la desaparición del Centellas?

Había arrugado la nariz, algún matiz de sorna había percibido en un pliegue de la conversación pero no sabía en cuál, y antes de que lo adivinara, Carvalho se puso en pie y preparó la retirada.

—¿Por qué me ha dicho eso de Contreras?

—No se preocupe. Ha sido un comentario sin importancia.

—No. No. Quiero saberlo. Mi buen nombre no tiene nada que hacer en una comisaría.

—Pregúnteselo a Contreras. Está preocupado. Eso es todo.

Dejaba a un Sánchez Zapico molesto consigo mismo, con él, con la situación, y al salir a la recepción reconoció al hombre que estaba esperando. Olía a algo muy caro y estaba tan bien vestido que ofendía a la adocenada decoración de aquel despacho de medio pelo. Creyó advertir un cierto interés en la mirada de soslayo que le dedicó el dandy y cuando ya le daba la espalda camino del despacho de Sánchez Zapico recordó dónde le había conocido. Era el introductor de Basté de Linyola en la conferencia sobre el futuro urbanístico de la ciudad.

—¿Quién es ese señor que ha entrado a ver a su jefe?

—El abogado Dosrius.

—¿Es el abogado del señor Sánchez Zapico?

—A veces.

—El señor Sánchez Zapico me ha dicho que le pidiera a usted la dirección del intermediario de jugadores, uno que le suministra jugadores para el Centellas, Raurell. Se llama Raurell.

No recurrió a una vieja libreta de hule gastada donde cabe toda la información y toda la contabilidad de un equipo tan miserable como el Centellas, sino que dio un giro a su silla y se enfrentó a una computadora a la que empezó a preguntarle cosas y la pantalla se puso azul e iba componiendo sus respuestas con una precisión lineal e implacable, perseguidas las letras por la mirada escrutadora de la mujer, como si no se fiara del todo de la verdad o la mentira que le suministraba aquella caja sabia. Cuando estuvo satisfecha por la respuesta, pulsó un botón y el hombre invisible empezó a escribir en una máquina situada junto al robot. Luego la secretaria cortó el pedazo de papel que sobresalía de la impresora y se lo tendió a Carvalho. Allí estaba impresa en una letra pasteurizada: «FREDERIC RAURELL CASASOLA. RESIDENCIA GERIÁTRICA MARE DE DÉU DE NÚRIA.»

—¿Vivirá hasta que yo llegue?

La secretaria o no estaba para sarcasmos o no sabía qué era una residencia geriátrica y además tenía el bocadillo de atún en escabeche a medio comer metido en el cajón donde estaban los *diskets* de la computadora. Carvalho salió a la calle y buscó una cabina de teléfonos. La primera estaba ocupada por una mujer gorda que llamaba a su madre, a gritos, porque la madre estaba en algún pueblo de Andalucía. En la segunda alguien se había llevado todo lo que había dentro del auricular. La tercera era una cabina deprimida y quería suicidarse: no aceptaba las monedas, ni siquiera las de cien pesetas, ni que fueran nuevas. Por fin en la cuarta pudo Carvalho llamar a Fuster.

—Te has decidido a pagar.

—Aún no he pedido el crédito.

—¿A qué esperas?

—Dicen que vas a un banco, pides un crédito, te lo dan y además te regalan un viaje al Caribe.

—¿Tú te crees que los banqueros son tontos? ¿Qué avales tienes?

—¿Tú conoces a un abogado que se llama Dosrius? Debe ser un hombre muy polifacético, le he visto dándose el morro con Basté de Linyola y ahora acabo de verle con un ricacho de medio pelo. Es su abogado.

—Si me hablas del Dosrius que yo conozco, vamos, si es la misma persona, es un chico, bueno un chico, uno de mi edad, más o menos de mi promoción. Empezó de rojo y ahora gana el dinero a espuertas. Bien relacionado. Tiene abiertas las puertas de todos los ayuntamientos de izquierda y le ponen alfombras en los de derechas. Además es abogado de subasteros.

—¿A qué huele?

—A todo. Pero si quieres un informe más serio te lo dejo en el buzón de tu casa esta noche.

—Por si acaso.

La residencia geriátrica Mare de Déu de Núria estaba por San José de la Montaña y tenía el aspecto exterior de una casa residencial convertida en pensión para viejos de renta sólida, a juzgar por las dos palmeras del jardín y un surtidor sin agua en el que un Hércules en otro tiempo meón parecía afectado de una próstata incurable. Pero una vez traspasado el umbral, no había un mármol sano, predominaba una iluminación de sótano y la casa olía a estofado y a puré de restos de la cena del día anterior, y los viejos que jugaban a las cartas o leían el periódico no parecían esperar más visita que la de la muerte. Tampoco era bienhumorada la jefa de servicios y se le acentuó el mal humor cuando supo que Carvalho quería ver a Raurell.

—¿Ya le ha pedido audiencia? A los hombres importantes hay que pedirles audiencia.

—Las personas importantes nunca pedimos audiencia.

Tenía unos cuarenta y nueve años pero aparentaba cincuenta. Carvalho había observado que las personas que aparentan tener un año más de su edad real suelen ser las más amargadas.

—¿Alguno ha visto a Raurell?

Los viejos ni se molestaron en contestarle.

—Si lo hubieran visto, tampoco me lo dirían. A ver, pruebe suerte. Si está, lo encontrará en su habitación. Es la veintidós del piso de arriba. Llame a la puerta antes de entrar. El señor Raurell cuida mucho las formas.

Carvalho se fue siguiendo el olor del estofado y al pasar por la puerta de la cocina no pudo evitar meter la cabeza. Un viejo había introducido la mano en una olla, sacaba un pedazo de carne y lo envolvía en un papel de plata. Movía el pescuecillo en todas direcciones en el temor de ser descubierto, y cuando vio a Carvalho se quedó paralítico.

—No es para mí. Es para un perro que me espera todas las mañanas.

—Coja otro pedazo. A los perros les gusta mucho el estofado.

—Éste lo dudo.

—Yo vigilo. Coja otro pedazo.

Quedó media olla vacía y el paquete grasiento no le cabía en el bolsillo de la chaqueta. El viejo maldecía por las manchas de grasa que iba a hacerse, pero se guardó el paquete y pasó ante Carvalho camino de la calle sin darle las gracias. Siguió el detective su camino y llegó por una escalera de mármol, de baranda labrada y culminada en un ángel modernista, a la planta segunda y al final del pasillo vio en una puerta el número veintidós en una placa de porcelana desconchada y a medio caer. Llamó con los nudillos y del otro lado salió una de esas voces que van de arriba abajo, una de esas voces importantes que traducen una manera de mirar a los demás: ¿Quién es? ¿Raurell? ¿El señor Raurell?, la puerta siguió cerrada y volvió a llegarle una voz displicente.

—Estoy muy ocupado. ¿Qué quiere usted?
—Me envía Sánchez Zapico.
—Adelante.

Raurell llevaba un sombrero de fieltro sucio sobre un rostro de jefe indio de cualquier tribu, vestido con un traje azul marino cruzado, corbata con aguja de oro, un pañuelo de seda en el bolsillo superior de la chaqueta, botines bicolores y un bastón de caña entre las manos sarmentosas. Estaba escuchando un programa de radio y sobre una vieja mesa de despacho conservaba un archivo de cartón y una máquina de escribir Underwood robada de algún museo dedicado a la primerísima revolución industrial.

—Hago una excepción con usted; por las mañanas no despacho. Las mañanas las dedico a preparar la jugada.

Carvalho buscó inútilmente una silla en que sentarse. La única silla de la habitación era la que ocupaba Raurell.

—Esa señora que seguramente habrá tratado de impedirle que hable conmigo me ha quitado la otra silla. Dice que ya hace una excepción permitiéndome tener una mesa de despacho para mí solo. No discuto con ella. Ni le he dado nunca la bofetada que se merece. —Hizo una pausa el viejo indio y escupió—: El médico me ha prohibido tocar mierda.

—Palacín ha sido uno de mis últimos éxitos, uno de ellos, pero no el único. Ahora estoy metido en cosas importantes y no se extrañe si un día de éstos los periódicos deportivos vuelven a hablar de Raurell. Hubo una época en que no había equipo de fútbol que no tuviera a uno de mis jugadores. Yo me iba a América y en cuanto veía a un jugador joven, blanquito, eso sí, que despuntaba un poco, le arreglaba los papeles y a España, a presumir de padre o de abuelo extremeño. Hecha la ley, hecha la trampa. Se pusieron nacionalistas en lo del fútbol y los equipos se asfixiaban. Los estadios no se llenan con jugadores de la cantera. Los del Norte sí, porque son racistas y sólo les gusta la gente de casa. Desde esta habitación controlo los hilos de muchos clubs de España y en estos momentos más de un presidente está pensando en mí. Hay que hablar con Raurell. Seguro que Raurell tiene lo que necesitamos. Y lo tengo. Tengo la colección completa de jugadores veteranos más importantes del país. De todos los tamaños y de todos los precios. Antes tenía coches de importación, ahora coches de quinta mano. Las cosas vienen como vienen y yo no tengo la culpa de que los directivos se caguen en los calzoncillos en cuanto el público se acuerda de su madre o en que los jugadores no sepan guardar lo que ganan o no ganen tanto como la gente cree. La gente sólo habla de los contratos millonarios y no sabe nada, o no quiere enterarse del caso de la mayoría. Hay equipos de primera división que deben seis meses de nómina y equipos de segunda que deben un año y van pagando anticipos. Y eso que ahora los jugadores están más protegidos y están más preparados, pero hace veinte, treinta años los jugadores eran carne de cañón que no sabían defender sus derechos y se creían que en cuanto reunían dos pesetas tenían que poner un bar y vivir de renta. He conocido a más de cien jugadores de primera división, personalmente, y sólo veinte han prosperado, o menos. Los otros viven de lo que han sido y malviven. Los ves por ahí haciendo lo que sale y repasando álbumes de fotografías y recortes de periódicos. Si yo hubiera querido les hubiera exprimido y de otra manera me hubieran ido las cosas, pero siempre los traté como a hijos y no me extraña que cada día cueste más encontrar a gente del país que quiera dedicarse a esto profesionalmente. ¿Se acuerda de Vick Bukingham? Era un entrenador del Barça que dijo una gran verdad: cada día salen menos jugadores porque los chicos jóvenes prefieren estudiar ciencias económicas, y bien que hacen. Antes en toda ciudad había mil descampados y chavales dándole a la pelota. Ahora no quedan solares y la gente tiene la cabeza sobre los hombros. El fútbol dura diez, quince años si te respetan las lesiones. ¿Y luego qué? Palacín fue un caso típico y yo lo tenía en mi fichero porque un día u otro vendría a mí. Tenía nombre, olvidado, pero fácilmente recuperable. Había dado el salto al fútbol americano y aquí son muy paletos, en cuanto alguien ha hecho algo en el extranjero ya parece un Dios. Si usted revisa mi archivo verá que lo tengo al día y que trabajo con perspectiva de futuro. Ahora estoy archivando a los jugadores punteros que tienen entre veinticinco y treinta años. En el plazo de cinco a diez años vendrán a mí muchos de ellos, y tengo paciencia. Aquí les espero. Raurell tendrá entonces un equipo para ellos como lo tuve para Palacín. Son mis hijos, y mucho más ahora que mis hijos me han dado la patada y mi mujer ha muerto. Cuando salga de aquí compre la prensa deportiva y le hago una apuesta. Anote los nombres de los jugadores de los que se habla, no digo yo de los supermillonarios, porque ésos quedan a salvo de los cambios de suerte. Pero de los medianos. Anote los nombres y le apuesto lo que quiera a que en cinco o diez años serán clientes de Raurell. Yo he ganado mucho dinero, pero con una mano lo ganaba y con otra lo gastaba y ahora sé que cuando viene a mí algún presidente de club no viene a nada bueno. Viene a proponerme un chanchullito de comisión compartida o que les salve de un apuro, como el Sánchez Zapico. ¿Querrá usted creer que me pidió un saldo? No, no fue exactamente así, pero casi. Viene y me dice: Raurell, necesito un jugador barato, un poquito figurón y que tampoco mate de bueno. Yo me quedé turulato. Era la primera vez que me pedían un paquete con nombre, pero un paquete, y así se lo dije: Raurell no trafica con paquetes, trafica con ruinas pero no con paquetes. Y el tío me llamó suspicaz y desconfiado y me dijo que no quería un tío demasiado en forma para no acomplejar a la plantilla. A veces un *crack* estimula, pero otras apabulla. Cuando me estaba hablando el presidente del Centellas yo ya tenía en la cabeza a Palacín. Espere un momento. Espere que busque la carpeta. Aquí está. Recortes, recortes; nada

de lo que saliera sobre Palacín se me escapaba y cuidado que ha salido bien poco desde que se marchó al Los
Ángeles. Pero aquí está, lea, mire... Yo sabía en qué
punto estaba y estaba a punto para lo que me pedía
Sánchez Zapico. Palacín es tu hombre y tuve que recor-
darle quién era Palacín. Le pagamos el viaje a mediados
de julio y se vino para aquí. Me sorprendió porque se
conservaba mejor de lo que yo esperaba y entonces traté de subirle el precio, pero el presidente del Centellas
es más tacaño que mi hijo mayor que no da ni la sal
cuando se la pides en la mesa. Todo lo sano y bien
conservado que estaba de cuerpo, lo tenía de malo aquí
dentro, en el coco. Es de esos jugadores que no se resig-
nan a envejecer y que además tenía un lío familiar de
no te menees: la mujer le había dejado, había un hijo
por medio, un desastre, y yo me dije: este chico es carne de desastre, y le advertí a Sánchez Zapico: este chico
puede romperse si no le ayudan psicológicamente, porque se ve, se ve que tiene la cabeza en otro sitio. Pero a
los del Centellas no les importó y lo ficharon. Yo arram-
blé con la mitad de mi comisión y a otra cosa mariposa,
que no están los tiempos para vivir preocupado por los
demás. Palacín parecía un paleto perdido en la ciudad y
eso que ya había vivido en Barcelona en su época dorada. No sabía ni dónde meterse. Y le recomendé la pensión de una antigua amiguita, una monada de criatura
que había sido corista de Gemma del Río en el Molino
en los años cuarenta y comienzos de los cincuenta. Yo
hace años ya que no la frecuento, pero aún tenemos una
buena amistad, porque nos conocemos de aquellos años
difíciles en los que ella era una artista sin suerte y yo
un hombre que trataba de rehacer su vida. Y mire por
donde, me he enriquecido con el fútbol mil veces y mil
veces lo he perdido todo, y ¿sabe de lo que voy tirando
ahora? Lo cuento y no se lo cree nadie. He trabajado
treinta años buenos como intermediario de futbolistas
y antes había trabajado hasta de feriante o de cacharre-
ro, vendiendo cosas por los pisos. Pues de eso no podría
vivir. En cambio, lo que fue mi desgracia durante los
años de la posguerra, haber sido policía de la Repúbli-
ca, eso es lo que ahora me permite vivir porque me dan
una pensión con la que puedo pagar este asilo, y le
llamo asilo porque es un asilo, aunque en la puerta

ponga residencia geriátrica. Tres años de poli republicano y la vejez asegurada. Cincuenta años currando en mil oficios, y ni un duro. Claro que después de la guerra me costó la cárcel, pero allí hice alguna amistad que me sirvió con los años, especialmente con los estraperlistas, los pocos estraperlistas que metían en chirona. Yo aquí vivo como un rey y me hago respetar, y cuando me viene esa horrible encargada con sus monsergas y sus regañinas, le enseño mis ficheros, le enseño todo esto y le obligo a marcharse con la cola entre las piernas. No está usted hablando con un jubilado, señora. Soy un profesional en activo y con mi tarjeta me abro todos los despachos que cuentan en el fútbol español y estoy preparando unas memorias que van a escandalizar a más de uno. ¿Escucha usted el programa de José María García por Antena 3? No se lo pierda. Es como la feria de monstruos y vanidades. Los directivos, los árbitros, los entrenadores, se lo dejan decir todo porque le tienen miedo al García, un tío bien informado que los tiene cogidos por los cojones. Pues bien, si yo hablara dejaría chico el programa de García, «Supergarcía» creo que se llama el programa. Ya le he mandado dos o tres cartas a José María García ofreciéndome como colaborador. Le he propuesto una sección que podríamos titular: «Mirando hacia atrás con cachondeo.» Yo les conozco, conozco todo este mundo y puedo decirle que lo mejor siguen siendo los jugadores y los más golfos los directivos y después los intermediarios, porque no todos son tan considerados como yo, que a veces he secado muchas lágrimas, muchas, porque estos chicos los ves en el campo y parecen yo qué sé lo que parecen. Pero luego son de arcilla y se rompen por cualquier cosa. Un grito del público puede joderles una temporada, o una lesión o si se avienen mal con la mujer o con la suegra. ¿Recuerda usted el caso de *Rata* Pérez? ¿No lo recuerda? Pues se le fugó la suegra con el segundo entrenador del equipo y la mujer cogió una depresión que le daba por llorar toda la noche y él sin descansar y luego salía al campo dormido. Nadie ha sabido nunca por qué *Rata* Pérez se dormía hasta cuando tenía que sacar un corner, pero Raurell lo sabe porque yo era su representante y tuve que malvenderlo al fin de temporada a un equipo de segunda. Dos patadas mal recibidas y una suegra algo puta hicieron de *Rata* Pérez una ruina. Si yo hablara, si yo hablara. Y aún estoy a tiempo de hundir muchos prestigios, porque aún domino la vida y milagros de los que están en candelero. Dentro de cinco años será otra cosa porque ya tendré ochenta años y todo me quedará muy atrás. ¿Sabe usted qué edad tendré en mil novecientos noventa y dos? Pues casi ochenta años. Y en el año dos mil ya no quiero ni pensarlo, con los negocios que van a poder hacerse en esto del fútbol en los próximos quince años. El porvenir de un intermediario está en el fútbol sala. Piense usted en la posibilidad de que el fútbol sala prospere, como el baloncesto o el hockey o el balonmano. ¿De dónde van a salir los jugadores? Pues muy sencillo, de las segundas o terceras figuras del fútbol de verdad. Y ése es mi terreno, ése es el terreno para el que me he venido especializando en los últimos tiempos. Un día me dije: Raurell, ya han salido intermediarios que trabajan con computadoras y viajan en avioneta privada. A eso ya no llegas. Conoce tus límites y sé el primero en lo tuyo. Y lo soy. Mire ese montón de sobres. Los guardo para aprovechar los sellos, pero es correspondencia de toda España y todos recurren a Raurell, a veces en busca de un consejo, a veces de un jugador como Palacín. Y no está bien que hable mal de un muerto, pero después de todo lo que hice por él, ni me vino a visitar, ni me dijo cómo le había ido en la pensión, quizá porque yo le aconsejé que no le hablara de mí a Conchita, porque está un poco dolida conmigo, precisamente por lo de la pensión, porque cuando quiso retirarse del oficio, usted ya me entiende, recurrió a los amantes más fijos para que aportáramos algo y así poder establecerse de patrona. Pero a mí me pilló en un mal momento. Mi señora tenía un mal malo y generaba mucho gasto, yo ya no tenía los contratos que había tenido y le fui franco: Mira, Conchita, me has gustado y me gustas mucho, y si tuvieras tú diez años menos y yo veinte menos, pues igual pedía un crédito y te lo aportaba como capitalista de tu empresa. Pero ni tú tienes diez años menos, ni yo veinte, ni pido un crédito. Para qué nos vamos a engañar. Me quería sacar los ojos porque es muy temperamental, pero en el fondo es una buena mujer de buen corazón, y cuando le dije a Palacín que fuera a su pensión sabía que lo ponía en manos de una madre. Pobre chico. Qué mala suerte. Todo lo bueno que tenía Conchita lo tenía de malo el Sánchez Zapico ese, que aún no me ha pagado del todo la comisión y le estoy llamando un día sí y otro también para que no se haga el longuis ahora que Palacín la ha palmado. ¿Qué culpa tengo yo de que haya acabado como ha acabado? Yo le puse en bandeja ganar los buenos últimos duros de su vida. Ése es mi oficio. En mis buenos tiempos yo tenía una frase que siempre decía a mis pupilos para que no se llamaran a engaño: yo pongo la cara y cuando os contraten vosotros tenéis que poner la cabeza y los pies. Pero ojo, que nadie se engañe. Yo he puesto y pongo la cara cuantas veces haga falta, pero el culo no, ¿eh? El culo nunca.

Biscuter no estaba en el despacho, pero su ausencia estaba suficientemente compensada con la presencia de tres moros, uno de ellos el Mohamed. No era la primera paliza que le iban a dar en la vida y Carvalho auscultó su cuerpo, pidiéndole una prueba de solidaridad, pero el cuerpo no le respondió. No le pedía el cuerpo pelea, pero tras estudiar la distancia que le separaba de la puerta para salir corriendo y del cajón donde tenía la pistola, dedujo que la suerte estaba echada y de que nada valía el recurso al circunloquio con un hombre de tan poco vocabulario como Mohamed. Además, los tres hombres formaron rápidamente un triángulo y Carvalho estaba en el centro tratando de relajarse para que los golpes dolieran menos. Ni pegaban, ni hablaban. Mohamed tenía en el rostro una impenetrabilidad más atribuible a un asiático que a un africano, y cuando habló su tono de voz le pareció a Carvalho de una normalidad preocupante.

—Tranquilo. Hemos venido a hablar contigo.

Carvalho avanzó hasta llegar a la silla de su despacho y se sentó en ella. El triángulo se recompuso. Dos de los moros se situaron a su espalda y a Mohamed le bastó darse la vuelta para seguir siendo el vértice.

—Tú sabes demasiado, pero quizá no lo sepas todo. Cuando uno sabe algo, pero no lo sabe todo, puede decir muchas tonterías.

Ya volvía con lo de tonto y tontería.

—No nos preocupas tú, pero cuidado con lo que dices, y para que no digas tonterías vamos a darte una información. ¿Qué pensaste el otro día cuando me viste cerca del estadio?

—Me parece que ya conversamos largamente sobre esto.

—Yo conversaba, como tú dices. Tú te pusiste chulo y fue una tontería porque ahora podríamos castigarte. Te mereces que te castiguemos. Pero el año tiene muchos días y el día muchas horas. Ahora es más importante que escuches. Han matado a un futbolista y tú me hablaste de que un futbolista había sido amenazado. Ya sé que no es el mismo, pero es verdad, ha habido un muerto. Queremos que sepas que nosotros no hemos sido.

—¿Quiénes sois vosotros?

—Nosotros somos nosotros. Ya lo sabes tú bien, tonto. Todos sois unos racistas y sabes muy bien de quién hablo cuando digo nosotros. Sabíamos que alguien había contratado a un grupo para colocar un consumado, para hacer un montaje y pringar a unos tipos. Se lo encargaron a gente bastante tonta, poco profesional, gente que está drogada y hace lo que sea a cambio de una dosis. Lo hicieron muy mal y hubo un muerto, pero nosotros no tenemos nada que ver y queremos que lo sepas, que lo sepas tú y que lo sepa tu lengua. Cuidado con lo que dice tu lengua porque te la cortaremos.

Y tras el cogote de Carvalho sonó el chasquido de una navaja al abrirse.

—Enséñasela.

Ante los ojos de Carvalho apareció una mano morena ofreciéndole la imagen de una navaja espléndida, capaz de cortarle la lengua sin que el pedazo de carne resultante se cayera al suelo.

—Sólo los tontos se salen de sus límites y sólo los tontos se salen de su territorio. Para nosotros, sobrevivir quiere decir no salir de nuestros territorios. Aquí dentro todo es fácil, pero fuera seríamos como el pez fuera del agua o como tú con una piedra en los pies y tirado al agua del puerto. Si algún día limpiaran el fondo del puerto de Barcelona encontrarían a muchos tontos como tú.

—¿Quién encargó esa chapuza?

—¿Esa qué?

—Tontería. Esa tontería del consumado y del asesinato.

—No lo sé. Ni queremos saberlo. Esas cosas se encargan fuera de nuestro territorio. Tú puedes saberlo y no te envidio. Nada hay tan tonto como saber para nada, para que no sirva de nada. Nosotros venimos de un país pobre en el que hemos aprendido a vivir con pocas cosas y sabiendo sólo lo necesario. A vosotros os sobra de todo. Incluso sabéis demasiado. Saber demasiado es de tontos. No podemos perder más tiempo, pero vigila tu lengua.

—Al menos sabréis quiénes fueron los tipos que lo hicieron.

—Es inútil saberlo porque ya no están aquí. Habría que buscarlos por todos los basureros de Europa o de América. ¿Quién los va a buscar?

Hizo un gesto con la cabeza y el triángulo se descompuso. Los tres moros se fueron hacia la puerta sin perderle de vista, y antes de irse, Mohamed le señaló algo que estaba encima de la mesa.

—Tu criado te ha dejado una nota. El hombre de los zapatos está muy enfermo.

Aún no se habían ido del todo y ya la habitación se le había llenado a Carvalho de responsabilidades aplazadas: Charo, Bromuro, Biscuter... Biscuter había escrito con su letra de niño: «Bromuro está muy mal y Charo y yo hemos ido a verle. Está en la clínica El Amparo, de la calle Ponterolas. Dese prisa, jefe. Dese prisa, jefe.» Pero la necesidad de metabolizar el presagio le hizo permanecer en la silla con una presión dolorosa en el pecho, como si se le hubiera llenado de aire podrido. Luego tiró de un cajón para buscar la guía de Barcelona y localizó la calle Ponterolas en uno de los pliegues recónditos de la ciudad, una calle olvidada para una clínica probablemente olvidable. Del cajón abierto le llegaba una señal de alarma. La pistola. Faltaba la pistola. Los moros se la habían llevado. Bajó luego los escalones de dos en dos y se subió al coche con una urgencia que le hizo equivocar la marcha y darse con el vehículo de delante cuando iniciaba la maniobra de arranque. Ya en la calle le dolían sus propios pensamientos y puso la radio. Los locutores avisaban que estaba a punto de celebrarse una rueda de prensa a cargo de Basté de Linyola y resaltaba el comentarista la posible importancia de la comunicación porque esta vez era el propio presidente quien daba la cara y no el portavoz del club, Camps O'Shea, ausente aquella mañana de las oficinas de la entidad. Que la comunicación era importante lo indicaba el hecho de que a Basté le acompañaran el vicepresidente primero, Mortimer y el capitán del equipo, por lo que muy bien pudiera tratarse de una noticia institucional de suma importancia. En cambio sorprendía la ausencia de Camps O'Shea sin que mediara ninguna aclaración oficial.

«—Pero en estos momentos hacen su entrada en el salón de actos los señores Basté de Linyola, Riutort, Mortimer y el capitán Palacios y la rueda de prensa está a punto de comenzar.»

Se oía el ruido de las descargas de los flashes y un rumor acallado para dar paso a la voz de Basté de Linyola:

«—Señoras y señores, amigos. Un suceso ha conmovido estos días la conciencia de los buenos ciudadanos de esta ciudad, me refiero a la muerte de Alberto Palacín, hace unos años destacado jugador de este club y en otro tiempo uno de los valores más prometedores del fútbol español. Aunque el suceso nada tiene que ver con la vida normal de un club transparente y glorioso como el nuestro, no podemos permanecer insensibles a algo, y sobre todo a alguien, que forma parte de la memoria de nuestra institución. Un gran cantante catalán, Raimon, ha escrito: quien pierde sus orígenes pierde la identidad. Pues bien, parafraseándolo, podríamos llegar a la conclusión de que quien pierde su memoria también pierde su identidad. Por lo tanto quisiéramos hacer algo que demostrara esa buena memoria de nuestro club y más ante un caso tan desgraciado que, independientemente de sus errores, ha costado la vida a un hombre del fútbol, a uno de los nuestros. El club quiere hacer algo por Alberto Palacín y su familia, y al decir "el club" no me refiero sólo a la junta directiva, sino a la plantilla en pleno y a la masa de seguidores. Estamos organizando un partido homenaje a Alberto Palacín entre nuestro equipo y una selección de jugadores extranjeros presentes en la Liga española. Al mismo tiempo les comunico que hemos realizado gestiones para localizar a la familia de Palacín y que a estas horas está a punto de llegar un avión procedente de Bogotá en el que viajan Inmaculada Sánchez, la esposa de Palacín, y su hijo. Quisiéramos que en estos momentos de dolor nuestra gran familia, entre los que les contamos a todos ustedes, supiera arropar ese dolor, hacerlo suyo y que Palacín, desde donde esté, pueda lanzar ese definitivo suspiro de alivio que los héroes, caídos o no, dan después de las victorias decisivas. Nada más.»

Una salva de aplausos se sobrepuso a la insistencia de los flashes y la voz del locutor se impuso sobre el estruendo:

«—La emoción nos ha hecho un nudo en la garganta, pero la información es la información. Es forzoso que interrumpamos esta retransmisión para trasladarnos al aeropuerto del Prat donde parece inminente la llegada de esos dos seres que lo fueron todo o casi todo en la vida de un desdichado triunfador, Alberto Palacín. Un deber informativo nos obliga a saltar por encima de la emoción de las palabras de ese gran dirigente que es Basté de Linyola y de nuestra propia emoción para cortar la transmisión y trasladarnos con toda urgencia al aeropuerto. Devolvemos la retransmisión a nuestro estudio.»

Una segunda conciencia le hizo dar un golpe de volante y orientar el coche en dirección opuesta al hospital donde estaba Bromuro, con un instinto de buscador de finales nunca totales. Carvalho pidió mentalmente perdón a Bromuro y lo supuso acompañado por mejores presencias que la suya. La ciudad parecía querer escaparse de sí misma más que otras veces, la caravana de coches hacia el aeropuerto tenía una intensidad de excepción, y nada más llegar Carvalho vio cómo se habían congregado ante el acceso de vuelos internacionales más personas de las que cabían en el campo del Centellas. Bastaba esconderse en el seno de la multitud para que las glorias de Palacín salpicaran los oídos según los más diferentes estilos de conversación y riqueza de vocabulario. «Desde César, nadie había rematado de cabeza como él.» Podía sonar a verso de Shakespeare pero era un simple ejercicio de memoria futbolística comparada. Fueron a por él y arruinaron al que iba a ser el mejor futbolista español de todos los tiempos. Cuando llegó ante la puerta corredera que daba a la aduana, Palacín ya era primer jugador del mundo y todos le habían visto jugar y triunfar, independientemente de la lógica de su edad y de la edad de Palacín. Fotógrafos y cámaras de televisión llegaban con la obsesión puesta en los ojos y en los codos y la guardia civil tuvo que abrir un pasillo para que el comité de recepción encabezado por Basté pudiera meterse en la aduana. Camps O'Shea seguía sin aparecer y Mortimer no podía evitar la sonrisa a pesar del carácter de segundo entierro de Palacín que tenía el acto. La cabeza roja estaba ocupada por los goles del domingo próximo o tal vez recordaba los del pasado y el acto le pareció un acontecimiento antropológico, de haber conocido el sentido del adjetivo: costumbres, costumbres españolas o latinas, como la paella o el pan con tomate... Eléctricas letras verdes intermitentes anunciaron la llegada del vuelo y todos pugnaron por mejorar su posición para cuando se abrieran las puertas y los únicos restos de la vida y obra de Alberto Palacín quedaran al alcance de todos, como un apetitoso bocado de espiritualidad colectiva. Y cuando los más impacientes ya habían tratado de contagiar a la masa los versos del himno del club, sin que la masa demostrara sabérselo de memoria, se abrieron las puertas y tras la pareja de la guardia civil apareció otra pareja de la guardia civil y otra y temblaron las multitudes y las cámaras ante el forcejeo que los agentes tuvieron que emprender para dejar paso al corazón sensible de la fiesta. Basté de Linyola empujaba, casi abrazado, a una mujer de luto, de luto el cuerpo y de luto los ojos bajo las gafas de sol, y sólo la flor espléndida de su boca grande y rosa parecía tener vida en la dejadez de un esqueleto triste. Y a su lado un niño, alto para su edad hubieran dicho los expertos en alturas y edades de los niños, que miraba al suelo porque tenía vergüenza de la sonrisa de triunfador que se le escapaba, porque su padre le regalaba póstumamente el papel de un héroe. Y los aplausos parecían refrendar la tristeza de los familiares o la mismísima muerte triunfal de un futbolista asesinado bajo todas las sospechas. Un sentido del ridículo efónico se impuso a intentos de gritar ¡Viva Palacín! y el recurso de vitorear el nombre del club obtuvo más consenso que entonar el himno. Carvalho consiguió llegar al borde del pasillo de la guardia civil, quería leer algo en el rostro de Basté de Linyola que tradujera su real estado de ánimo, pero Basté de Linyola iba disfrazado de Basté de Linyola, y así como horas antes había sabido decir en el momento oportuno... «arropar ese dolor, hacerlo suyo y que Palacín, desde donde esté, pueda lanzar ese definitivo suspiro de alivio que los héroes, caídos o no, dan después de las victorias decisivas...», una frase compleja que había redactado mientras tomaba el desayuno, ahora sabía componer el gesto de una institución con la memoria dolorida y convertida en sostén de aquellos dos seres que lo habían perdido todo al perder a Palacín. Incluso tenía los ojos húmedos Basté. Y el niño sonreía y la mujer lloraba tras los cristales de unas gafas de sol. Luego Carvalho tuvo que ponerse a la cola de la caravana que volvía a la ciudad y recoger las últimas migajas de la información radiofónica. El partido de homenaje se produciría en el plazo de quince días y el saque de honor lo haría el hijo de Palacín. Por otra parte se comunicaba que la presunta asesina del jugador ya había confesado y en breves horas pasaría a disposición judicial. Carvalho cerró los ojos del remordimiento, pero no los de la cara. La caravana de automóviles era un sujeto colectivo que volvía de un entierro, como si volviera de un banquete de antropófagos, estaba borracha de emotividad y los coches casi se daban codazos. Y Bromuro. Bromuro ya en el horizonte de la tarde caída.

No había nadie en la recepción de la clínica y olía a desinfectante. Era reciente una mano de pintura gris, de pintura para que durara toda una vida, de esas pinturas de larga duración que se desentienden de lo que cubren. La operación de localizar a Bromuro significó ir abriendo y cerrando habitaciones de cuatro camas separadas por biombos en las que habían escondido a los hombres más viejos de este mundo. Parecía una colmena de viejos, una colmena llena de calaveras con saliva y ojos aterrados o resignados o cerrados. Y primero vio a Charo sentada en una silla, con la falda bien compuesta sobre las rodillas y el bolso en el regazo, a su lado Biscuter, recostado en aquella pared pintada con pintura de larga duración, una sabia inversión que contemplarían promociones y promociones de enfermos terminales, piadoso eufemismo. Hasta llegar al hueco donde estaba Bromuro, Carvalho recorrió tres camas, tres viejos, tres miradas ávidas, tres orinales de teja al pie de mesillas de noche metálicas, también cubiertas por pintura de larga duración. Y allí estaba Bromuro roncando, con los ojos cerrados y la desdentada boca abierta y cada mechón de pelos gris buscando un punto cardinal distinto, como irradiando de aquella calvicie arrugada y llena de espinillas. Se recostó en la pared junto a Biscuter y no quiso sostenerle la mirada porque Biscuter estaba llorando. Y cuando notó en su espalda el frío de la pared cubierta con pintura de larga duración, al mismo tiempo se metió en una de sus manos el calor de una mano de Charo que le pedía ternura o se la traspasaba. Aquella mano le daba el pésame o se lo daba a sí misma. Y no hablaron, no se dijeron nada los tres hasta que Bromuro ladeó la cabeza y abrió los ojos para adivinarles, y al que le costó más adivinar fue a Carvalho.

—Coño, Pepe.

Charo se levantó y se volcó sobre el limpiabotas, le arregló la almohada, le hizo beber un sorbo de agua y luego le pasó una toalla húmeda por la cara.

—No había ni toallas, jefe. He tenido que ir a buscar una al despacho. Ni papel higiénico, Charo ha bajado a comprarlo a un colmado. Y el agua mineral te la has de traer de fuera. Es una clínica muy rara.

Bromuro se esforzaba por localizar a Carvalho con los ojos y cuando Charo dejó de adecentarle, quedaron otra vez cara a cara y el viejo volvió a decir:

—Coño, Pepe.

Y le dolía algo porque se le crispó el rostro y se señaló las partes.

—Quiero mear.

Y Charo introdujo un orinal de plástico bajo las sábanas y le metió el pene dentro del cuello y se lo aguantó mientras Bromuro hacía todos los esfuerzos que le permitían los músculos que le quedaban para emitir unas gotas de pipí.

—Tiene uremia hasta las orejas, jefe —le dictó en una oreja Biscuter.

Charo le hizo una seña para que la siguiera hasta el pasillo y allí rompió a llorar, primero recogida sobre sí misma y luego sobre el pecho de Carvalho. Que no pasa esta noche. Es todo lo que saben decir y que si fuera su padre lo dejarían morir tal como está, porque todo es inútil, Pepe, todo es inútil. Pero este sitio es asqueroso, Pepe, que es mejor llevarlo a casa.

—¿A qué casa? ¿A aquella pensión que parece un agujero?

—No me hables, que cuando he ido a buscar las cosas de Bromuro me las he tenido con la patrona. Que le debía no sé cuántos meses y que de allí no me llevaba ni un pañuelo. Como si tuviera pañuelos. Y le he tenido que pagar los meses atrasados. Saquémoslo de aquí. Esto es un matadero, un pudridero.

—Pero aquí hay médicos.

—¿De qué le van a servir los médicos? Que nos receten lo que haya que darle. Me lo llevo a mi casa.

Carvalho localizó al médico de guardia. Era lo único joven que había en aquella terminal de vidas y escuchó su petición de llevarse a Bromuro con perplejidad científico-biológica.

—Va a morir. ¿Qué más da que muera aquí que en una casa particular? Es cierto que no podemos hacer nada por él y que todo consiste en darle calmantes, pero esta situación puede prolongarse. Horas. Incluso un par de días, más no creo, aunque tiene el corazón fuerte.

—Me lo llevo.

—Declino toda responsabilidad y debe firmarme la autorización quien ha respondido por él cuando lo han ingresado, me parece que ha sido una señora. Le advierto que hay bofetadas para conseguir una plaza en un sitio como éste. La gente no sabe cómo sacarse de encima a los terminales.

—No lo dudo.

—Además, ¿cómo se lo llevarán? No disponemos de ambulancias, de momento.

—¿Puede sentarse en el coche o ir tumbado detrás?

—De ir sentado, tendrán que aguantarlo entre dos. No come desde hace horas y ya no le he puesto ni suero. No vale la pena.

—¿Dispone al menos de una camilla para bajarlo hasta la calle?

—Camilla sí, camillero ya veremos.

—Todos somos camilleros. Yo he sido siempre un excelente camillero.

Cuando volvió a la habitación, Charo estaba tratando de meter un jersey por encima de la cabeza caediza de Bromuro sostenido por Biscuter.

—Nos vamos a casa, Bromuro.

Los ojos del limpia le preguntaban que a qué casa.

—A mi casa. A Vallvidrera.

Bromuro miró desconcertado a Charo, a Biscuter, como si Pepe se hubiera vuelto loco.

—Coño, Pepe.

Luego en el coche alternaba la somnolencia con bruscos despertares y la voluntad de reconocer las calles por las que pasaban.

—Avenida Virgen de Montserrat... Plaza de Sanllehy...

—No se te escapa ni una, Bromuro —le jaleaba Biscuter.

En la cuesta del Tibidabo le dio un vómito y un olor a pozo profundo inundó el coche. Cuando llegaron a la casa de Vallvidrera había perdido el conocimiento, pero respiraba tranquilo. Lo cogió en brazos Carvalho y lo llevó a su cama, la única que estaba hecha en toda la casa. Charo le dispuso a su alrededor todo el instrumental a necesitar, orinales, toallas, jeringuillas y sacó del bolso una medalla de la Virgen Milagrosa que cosió en el calzoncillo de Bromuro, sin que Carvalho protestara ni con la mirada. Biscuter fue el primero en quedarse dormido en una butaquita del *living*. Luego cayó Charo después de haberle susurrado a Carvalho los dos días que llevaba con Bromuro a cuestas, de aquí para allá, de diagnóstico en diagnóstico, de fracaso en fracaso, hasta que por una amistad consiguió que le dieran plaza en aquella clínica.

—Creía que era otra cosa, pero todas son igual. He estado hablando con familiares de los otros viejos que estaban en la habitación. Todas esas clínicas son iguales. A los viejos les basta que les metan dentro para que se dejen morir.

Cuando Charo se quedó dormida sobre el sofá, Carvalho fue a vigilar el sueño de Bromuro y tuvo que ponerle una mano en el pecho para notarle la respiración. Roncaba levemente y por su bulto oculto bajo las mantas pasaron todas las gamas de claridades que anunciaron el nuevo día, hasta que los pájaros cantaron y Carvalho se estiró para desentumecerse y salió al jardín a contemplar la amanecida de la ciudad, buscando con ojos la costra urbana de la Barcelona Vieja, aquel laberinto al que Bromuro probablemente nunca volvería. No. Nunca volvería. Cuando Carvalho volvió a la habitación, el pecho tatuado de Bromuro se había convertido en una cajita de huesos fríos y piel helada. Le cerró los ojos entreabiertos y con la misma mano le rozó los labios por los que había salido la última bocanada de aire. Quiso decir mentalmente el nombre de Bromuro pero no lo sabía. Quiso hacer algo simbólico que pudiera complacer al viejo limpia y a él consolarle y salió al jardín a buscar cinco rosas, aquellas cinco rosas que Bromuro había cantado tantas veces en su juventud falangista. Fascista de mierda, Bromuro, fascista de mierda. Pero no había rosas en el jardín y le entró la urgencia de salir de la casa, bajar hasta el pueblo y hacerse abrir la floristería para comprárselas. Pasaban los primeros coches que superaban el obstáculo del Tibidabo para reestrenar el trabajo de todas las mañanas y un motorista iba arrojando periódicos por encima de las puertas de los jardines. Entonces recordó que en el buzón de su casa tal vez le esperara el informe Dosrius que Fuster había prometido y algo parecido a una sonrisa le convirtió en actor de su propio escepticismo. Desembocó en la plaza de Vallvidrera y todo estaba cerrado menos un bar y la tienda de los periódicos de la que partían los repartidores motorizados. Le dolían los ojos y empezaba a razonar sobre el panorama que había dejado, la angustia de Biscuter y Charo cuando se despertaran y comprobaran al mismo tiempo su ausencia y la muerte de Bromuro. Y no había flores. Ni las habría hasta horas después. Pero sí diarios, y un titular de *El Periódico* le pidió atención con sus gigantescas letras y su clamor de sorpresa: «Inesperado giro en el caso Palacín. Un anónimo amenaza de muerte a un delantero centro.» Compró el periódico y retornó hacia su casa remontando la cuesta con el cansancio encima de una noche en vela. El cronista había tratado de ser conciso, de hacer una información en la que la elocuencia de los hechos nunca estuviera dominada por su propia elocuencia. Cuando ya el caso Palacín parecía visto para sentencia, se había recibido un anónimo en los principales diarios de la ciudad, un extraño anónimo en el que se anunciaba la próxima muerte de un delantero centro y redactado en unos términos no habituales en este tipo de comunicados:

«Porque constituís pirámides transparentes para vuestra egolatría de dioses insuficientes y a las puertas se agolpan sociedades eunucas y guerreros de plástico, os avisé que el delantero centro sería asesinado al atardecer.

»Y fue asesinado al atardecer.

»Porque os habéis limitado a poner crespones en las pirámides y seguís desde dentro reclamando la atención de los eunucos y los guerreros os regalan el quehacer de dioses, mientras los poetas mienten la tarde y se suicidan con elixires de perplejidad.

»Y yo os emplazo.

»Porque sois los usurpadores de la libertad y la esperanza, de la poesía y victoria, el delantero centro será asesinado al atardecer.»

¿Mensaje semántico? ¿Mensaje polisémico? Carvalho se prometió preguntárselo al inspector Lifante en cuanto volvieran a encontrarse.

Serie Carvalho

1/YO MATÉ A KENNEDY

Los Kennedy, habitantes de un palacio imaginario en el que coleccionan celebridades, cuentan entre otros personajes a su servicio con Pepe Carvalho, un guadaespaldas de origen gallego que ha sido miembro del Partido Comunista de España y ahora lo es de la CIA. Así nace Pepe Carvalho como personaje literario.

2/TATUAJE

Pepe Carvalho empieza a ejercer como investigador privado y mirón implacable y descubre la azarosa vida de superviviente de un hombre que tenía buena entrada con las mujeres.

3/LA SOLEDAD DEL MANAGER

Lo que parecía un ajuste de cuentas sexual se convierte en un ajuste de cuentas político que tiene como fondo la sociedad española a medio camino entre la muerte de Franco y el intento de consolidación democrática.

4/LOS MARES DEL SUR

Premio Planeta 1979

En la Barcelona de 1979, en vísperas de las elecciones, el detective Pepe Carvalho tiene que investigar la misteriosa muerte de un importante hombre de negocios al que todos suponían haciendo un viaje a Polinesia.

5/ASESINATO EN EL COMITÉ CENTRAL

En una reunión rutinaria del Comité Central del Partido Comunista aparece asesinado el secretario general, Fernando Ga-

rrido. En un Madrid sobrecogido por el crimen se desarrollan los movimientos humanos, políticos, eróticos y gastronómicos de Carvalho en busca de la verdad.

6/LOS PÁJAROS DE BANGKOK

Pepe Carvalho emprende un exótico viaje para atender el SOS de una amiga, pero en realidad el lector puede llegar a la conclusión de que huye de su mundo cotidiano que le es insuficiente.

7/LA ROSA DE ALEJANDRÍA

Un marino inicia un viaje hacia el fin del mar. Naturalmente es un viaje imposible, entre otras razones porque su destino le espera en un puerto determinado.

8/HISTORIAS DE FANTASMAS

En estos relatos, el famoso detective se ve envuelto en diversas aventuras que por su ambigüedad rozan el terreno de lo sobrenatural.

9/HISTORIAS DE PADRES E HIJOS

Las historias aquí noveladas descansan fundamentalmente en las anormales o subnormales características que a veces tienen las relaciones paternofiliales.

10/TRES HISTORIAS DE AMOR

Tres narraciones, tres intrigas, tres desenlaces con el tema del amor y su contrario, el desamor, como ingredientes constantes.

11/HISTORIAS DE POLÍTICA FICCIÓN

Se reúnen en este volumen relatos que abarcan desde el tiempo contemporáneo con el tema presente y obsesivo del «golpe de estado» a la española, hasta la memoria política desencadenante de dramas actuales.

12/ASESINATO EN PRADO DEL REY Y OTRAS HISTORIAS SÓRDIDAS

Relatos en los que la intriga se entremezcla con aspectos marginales de la sociedad.

13/EL BALNEARIO

En los balnearios nunca pasa nada hasta que pasa. Es entonces cuando se pierden las maneras, el decoro, la templanza, el bisoñé, la salud e incluso la vida.

14/EL DELANTERO CENTRO FUE ASESINADO AL ATARDECER

Una nueva aventura del famoso detective en el ambiente aparentemente normal y aséptico del deporte.